TEORIA DOS PRINCÍPIOS

*da definição
à aplicação dos princípios jurídicos*

Humberto Ávila

TEORIA DOS PRINCÍPIOS

da definição à aplicação dos princípios jurídicos

4ª edição,
revista,
2ª tiragem

MALHEIROS
EDITORES

Teoria dos Princípios
da definição à aplicação dos princípios jurídicos

1ª edição, 04.2003; 2ª edição, 09.2003; 3ª edição, 03.2004;
4ª edição, 1ª tiragem, 08.2004.

ISBN 85-7420-620-2

MALHEIROS EDITORES LTDA.
Rua Paes de Araújo, 29, conjunto 171
CEP 04531-940 — São Paulo — SP
Tel.: (0xx11) 3078-7205 Fax: (0xx11) 3168-5495
Home: www.malheiroseditores.com.br
e-mail: malheiroseditores@terra.com.br

Composição
PC Editorial Ltda.

Capa
Criação: Vânia Lúcia Amato
Arte: PC Editorial Ltda.

Impresso no Brasil
Printed in Brazil
03-2005

Este livro é dedicado aos Professores
Almiro do Couto e Silva
e Ricardo Lobo Torres,
Mestres pelo saber, e não pelo poder,
exemplos de erudição, humanidade e generosidade.

AGRADECIMENTOS

Todo trabalho, por menor que seja em extensão, e maior em ambição, depende do apoio e do estímulo de várias pessoas. Este estudo não foge à regra: por isso, quero – e me faz bem – agradecer:

– à minha esposa Ana Paula, tanto pelo suporte constante aos meus esforços acadêmicos, como, em particular, pela leitura atenta e crítica dos originais deste estudo;

– ao meu amigo e Mestre, José Souto Maior Borges, jurista imponente, que não abre mão da sua independência e de suas convicções em favor do êxito fácil e superficial, pelo estímulo inicial e permanente;

– à minha pequena Georgia, "toquinho" maravilhoso de gente, que me inunda de felicidade, pelo sentido que confere aos meus esforços.

– à minha mãe, Teresa, exemplo de inteligência e sensibilidade, pela fé com que me oportunizou trilhar o meu próprio caminho do coração, com amor e gratidão.

NOTA À 4ª EDIÇÃO

Em pouco tempo, esgotou-se a 3ª edição da *Teoria*, que passsou a incorporar dois novos capítulos, um sobre a eficácia dos princípios e das regras e outro sobre a intensidade do controle dos outros Poderes pelo Poder Judiciário. Na 4ª edição, limitei-me a efetuar alterações pontuais relativas à redação do texto.

Agosto de 2004

NOTA À 3ª EDIÇÃO

É com imensa satisfação que apresento aos leitores a nova edição da *Teoria dos Princípios*, cuja 2ª edição, da mesma forma que a 1ª, esgotou-se em poucos meses.

Esta edição foi devidamente revisada e ampliada com duas importantes partes.

A primeira versa sobre a eficácia dos princípios e das regras, e foi inserida no final do segundo capítulo (pp. 78 e ss.). Trata-se de tema da mais alta relevância, pois permite compreender melhor não só a diferente funcionalidade dos princípios e das regras como verificar que as regras não são normas de segunda categoria.

A segunda trata da intensidade do controle dos outros Poderes pelo Poder Judiciário, e foi posta no final do terceiro capítulo (pp. 125-127). Novamente, é por demais importante saber em quais situações o grau de controle do Poder Judiciário sobre as escolhas feitas pelo Poder Legislativo e pelo Poder Executivo deverá ser mais intenso e em quais casos deverá ser menos intenso, especialmente para demonstrar que, em qualquer hipótese, sempre haverá controle.

Março de 2004

HUMBERTO ÁVILA

NOTA À 2ª EDIÇÃO

É com imensa satisfação que apresento aos leitores a nova edição da *Teoria*, cuja 1ª edição, lançada em abril deste ano, para minha grata surpresa, esgotou-se em poucos meses. Nesta edição limitei-me a efetuar pequenas alterações pontuais relativas à redação do texto.

Agosto de 2003.

PREFÁCIO

Telefonei ao HUMBERTO, imediatamente após ter lido os originais deste livro, para dizer-lhe do meu sincero encantamento pelo trabalho intelectual nele sintetizado.

HUMBERTO nele produz uma contribuição extremamente importante para o que eu chamaria, à moda francesa, de *nettoyage* da doutrina. Uma das conferências que assisti em um ainda recente congresso versava sobre a distinção entre os métodos de interpretação, gramatical, teleológico etc. De repente percebi que quem palestrava tinha mais de duzentos anos, um autêntico morto sem sepultura, fazendo ressoar o *Bolero*, de Ravel...

O HUMBERTO, como diria o JOSÉ RÉGIO, ama o longe e as miragens, os abismos, as torrentes, os desertos. Quando a alma não é pequena – do RÉGIO ao PESSOA – gritamos o maravilhoso "não vou por aí; só vou por onde me guiam meus próprios passos". É isso – eu disse ao HUMBERTO – "teu livro é um caminhar os teus próprios passos". É um livro pessoalmente dele.

Por isso este livro é essencial, rompendo, mesmo, a corrente da banalização dos princípios e puxando o tapete dos "gênios-para-si-mesmos". É isso que eles temem: quando alguém os questiona, eles reagem como quem luta por algo que os salve do afogamento. O problema é que lhes acode apenas uma única bóia, costurada sobre a bibliografia do passado e, quanto à mais recente, se compulsada, mal digerida. São uns Esteves, sem bibliografia...

Permito-me contar uma história. No último dia do concurso que fiz para Professor Titular, no Largo de São Francisco, assim que anunciaram o resultado, um professor, que veio de outro Estado e passava por lá, me abraçou dizendo "Que bom! Agora você já pode vender a sua biblioteca!". Até hoje não sei se o colega fazia graça ou falava sério. Mas a impressão que tenho é de que as bibliotecas de alguns deles já foram negociadas há anos, desfrutando, os que as adquiriram, por atacado ou no varejo, de livros antigos inteiramente virgens, jamais anteriormente consultados...

O livro do HUMBERTO me encanta. Confirma as minhas convicções de que a interpretação é interpretação/aplicação dos textos e dos fatos e de que a ponderação é um momento no interior da interpretação/aplicação do Direito.

Suas diretrizes para a análise dos princípios – item 2.4.4 – me fazem ver, com nitidez maior, que não se interpreta o Direito em tiras.

A proposta de distinção heurística entre regra e princípio – e postulados – e de "alternativa inclusiva" é extremamente rica. E o modelo tripartite (regra, princípio e postulado normativo aplicativo – item 3) ilumina as trevas tenebrosas nas quais se perdem sabemos bem quem. O exame do postulado da proporcionalidade é simplesmente primoroso.

O texto é múltiplo e vário, sempre positivamente. A exposição sobre o princípio da moralidade – item 2.4.5 – teria de ser lida como primeira lição de casa pelos "juristas" de meia-pataca, que pensam que ela, a moralidade, substitui a ética da legalidade por uma outra, adversa à legalidade... É lastimável ouvirmos o que tem sido dito a esse respeito.

Daí ter eu tomado a iniciativa de dizer ao HUMBERTO que gostaria imensamente de escrever o prefácio deste livro, porque, assim, indiretamente, participo da substancial contribuição que ele traz ao pensamento jurídico. Estar ao seu lado, isso me enobrece intelectualmente.

EROS ROBERTO GRAU

SUMÁRIO

1
CONSIDERAÇÕES INTRODUTÓRIAS

A idéia deste trabalho deve-se à repercussão que a publicação de artigos sobre os princípios jurídicos obteve no meio jurídico.[1] A essa somou-se uma outra razão: o constante relevo que a distinção entre *princípios* e *regras* vem ganhando nos debates doutrinários e jurisprudenciais.

Os estudos de direito público, especialmente de direito constitucional, lograram avanços significativos no que se refere à interpretação e à aplicação das normas constitucionais. Hoje, mais do que ontem, importa construir o sentido e delimitar a função daquelas normas que, sobre prescreverem fins a serem atingidos, servem de fundamento para a aplicação do ordenamento constitucional – os princípios jurídicos. É até mesmo plausível afirmar que a doutrina constitucional vive, hoje, a euforia do que se convencionou chamar de *Estado Principiológico*. Importa ressaltar, no entanto, que notáveis exceções confirmam a regra de que a euforia do novo terminou por acarretar alguns exageros e problemas teóricos que têm inibido a própria efetividade do ordenamento jurídico. Trata-se, em especial e paradoxalmente, da efetividade de elementos chamados de fundamentais – os princípios jurídicos. Nesse quadro, algumas questões causam perplexidade.

A primeira delas é própria distinção entre princípios e regras. De um lado, as distinções que separam os princípios das regras em virtude

1. Humberto Bergmann Ávila, "A distinção entre princípios e regras e a redefinição do dever de proporcionalidade", *RDA* 215/151-179, e "Repensando o princípio da supremacia do interesse público sobre o particular", *RTDP* 24/159-180.

da estrutura e dos modos de aplicação e de colisão entendem como *necessárias* qualidades que são meramente *contingentes* nas referidas espécies normativas. Ainda mais, essas distinções exaltam a importância dos princípios – o que termina por apequenar a função das regras. De outro lado, tais distinções têm atribuído aos princípios a condição de normas que, por serem relacionadas a valores que demandam apreciações subjetivas do aplicador, não são capazes de investigação intersubjetivamente controlável. Como resultado disso, a imprescindível descoberta dos comportamentos a serem adotados para a concretização dos princípios cede lugar a uma investigação circunscrita à mera proclamação, por vezes desesperada e inconseqüente, de sua importância. Os princípios são reverenciados como *bases* ou *pilares* do ordenamento jurídico sem que a essa veneração sejam agregados elementos que permitam melhor compreendê-los e aplicá-los.

A segunda questão que provoca a tonicidade é a falta da desejável clareza conceitual na manipulação das espécies normativas. Isso ocorre não apenas porque várias categorias, a rigor diferentes, são utilizadas como sinônimas – como é o caso da referência indiscriminada a *princípios*, aqui e acolá baralhados com *regras*, *axiomas*, *postulados*, *idéias*, *medidas*, *máximas* e *critérios* –, senão também porque vários postulados, como se verá, distintos, são manipulados como se exigissem do intérprete o mesmo exame, como é o caso da alusão acrítica à *proporcionalidade*, não poucas vezes confundida com *justa proporção*, com *dever de razoabilidade*, com *proibição de excesso*, com *relação de equivalência*, com *exigência de ponderação*, com *dever de concordância prática* ou, mesmo, com a própria *proporcionalidade em sentido estrito*.

É verdade que o importante não é saber qual a denominação mais correta desse ou daquele princípio. O decisivo, mesmo, é saber qual é o modo mais seguro de garantir sua aplicação e sua efetividade. Ocorre que a aplicação do Direito depende precisamente de processos discursivos e institucionais sem os quais ele não se torna realidade. A matéria bruta utilizada pelo intérprete – o texto normativo ou dispositivo – constitui uma mera possibilidade de Direito. A transformação dos textos normativos em normas jurídicas depende da construção de conteúdos de sentido pelo próprio intérprete. Esses conteúdos de sentido, em razão do dever de fundamentação, precisam ser compreendidos por aqueles que os manipulam, até mesmo como condição para que possam ser compreendidos pelos seus destinatários. É justamente por isso que cresce em importância a distinção entre as categorias que o aplicador do Direito utiliza. O uso desmesurado de categorias não só se contrapõe à exigência científica de clareza – sem a qual nenhuma Ciência digna desse nome pode ser erigida –, mas também compromete a clareza e a previsibilidade do Direito, elementos indispensáveis ao princípio do Estado Democrático de Direito.

Fácil de ver que não se está, aqui, a exaltar uma mera exigência analítica de dissociar apenas para separar. A forma como as categorias são denominadas pelo intérprete é secundária. A necessidade de distinção não surge em razão da existência de diversas denominações para numerosas categorias. Ela decorre, em vez disso, da necessidade de diferentes designações para diversos fenômenos.[2] Não se trata, pois, de uma distinção meramente terminológica, mas de uma exigência de clareza conceitual: quando existem várias espécies de exames no plano concreto, é aconselhável que elas também sejam qualificadas de modo distinto.[3] A dogmática constitucional deve buscar a clareza também porque ela proporciona maiores meios de controle da atividade estatal.[4]

Este trabalho procura, pois, contribuir para uma melhor definição e aplicação dos princípios e das regras. Sua finalidade é clara: manter a distinção entre princípios e regras, mas estruturá-la sob fundamentos diversos dos comumente empregados pela doutrina. Demonstrar-se-á, de um lado, que os princípios não apenas explicitam valores, mas, indiretamente, estabelecem espécies de precisas de comportamentos; e, de outro, que a instituição de condutas pelas regras também pode ser objeto de ponderação, embora o comportamento preliminarmente previsto dependa do preenchimento de algumas condições para ser superado. Com isso, ultrapassa-se tanto a mera exaltação de valores sem a instituição de comportamentos, quanto a automática aplicação de regras. Propõe-se um modelo de explicação das espécies normativas que, ademais de inserir uma ponderação estruturada no processo de aplicação, ainda inclui critérios materiais de justiça na argumentação, mediante a reconstrução analítica do uso concreto dos postulados normativos, especialmente da razoabilidade e da proporcionalidade. Tudo isso sem

2. Humberto Bergmann Ávila, "A distinção entre princípios e regras ...", *RDA* 215/151-152.

3. Stefan Huster, *Rechte und Ziele: Zur Dogmatik des allgemeinen Gleichheitssatzes*, pp. 134 e 144-145.

4. Klaus Vogel e Christian Waldhoff, *Grundlagen des Finanzverfassungsrechts: Sonderausgabe des Bonner Kommentars zum Grundgesetz (Vorbemerkungen zu Art. 104a bis 115 GG)*, Rdnr. 342, p. 232.

abandonar a capacidade de controle intersubjetivo da argumentação, que, normalmente, descamba para um caprichoso decisionismo.

A distinção entre princípios e regras virou moda. Os trabalhos de direito público tratam da distinção, com raras exceções, como se ela, de tão óbvia, dispensasse maiores aprofundamentos. A separação entre as espécies normativas como que ganha foros de unanimidade. E a unanimidade termina por semear não mais o conhecimento crítico das espécies normativas, mas a crença de que elas são dessa maneira, e pronto.

Viraram lugar-comum afirmações, feitas em tom categórico, a respeito da distinção entre princípios e regras. Normas ou são princípios ou são regras. As regras não precisam nem podem ser objeto de ponderação; os princípios precisam e devem ser ponderados. As regras instituem deveres definitivos, independentes das possibilidades fáticas e normativas; os princípios instituem deveres preliminares, dependentes das possibilidades fáticas e normativas. Quando duas regras colidem, uma das duas é inválida, ou deve ser aberta uma exceção a uma delas para superar o conflito. Quando dois princípios colidem, os dois ultrapassam o conflito mantendo sua validade, devendo o aplicador decidir qual deles possui maior peso.

A análise dessas afirmações semeia, porém, algumas dúvidas. Será mesmo que todas as espécies normativas comportam-se como princípios ou regras? Será mesmo que as regras não podem ser objeto de ponderação? Será mesmo que as regras sempre instituem obrigações peremptórias? Será mesmo que o conflito entre regras só se resolve com a invalidade de uma delas ou com a abertura de uma exceção a uma delas? Este trabalho não só responde a essas e outras tantas perguntas que surgem na análise da distinção entre princípios e regras, como apresenta um novo paradigma para a dissociação e aplicação das espécies normativas.

Com efeito, enquanto a doutrina, em geral, entende haver interpretação das regras e ponderação dos princípios, este trabalho critica essa separação, procurando demonstrar a capacidade de ponderação também das regras. Enquanto a doutrina sustenta que quando a hipótese de uma regra é preenchida sua conseqüência deve ser implementada, este estudo diferencia o fenômeno da incidência das regras do fenômeno da sua aplicabilidade, para demonstrar que a aptidão para a aplicação de uma regra depende da ponderação de outros fatores que vão além da mera verificação da ocorrência dos fatos previamente tipificados. Enquanto a doutrina sustenta que um dispositivo, por opção mutuamente excludente, é regra ou princípio, esta pesquisa defende alternativas inclusivas entre as espécies geradas, por vezes, de um mesmo e único dispositivo. Enquanto a doutrina refere-se à proporcionalidade e à razoabilidade ora como princípios, ora como regras, este trabalho critica essas concepções e, aprofundando trabalho anterior, propõe uma nova categoria, denominada de categoria dos *postulados normativos aplicativos*. Enquanto a doutrina iguala razoabilidade e proporcionalidade, este estudo critica esse modelo, e explica por que ele não pode ser defendido. Enquanto a doutrina entende a razoabilidade como um *topos* sem estrutura nem fundamento normativo, esta investigação reconstrói decisões para atribuir-lhe dignidade dogmática. Enquanto a doutrina iguala a proibição de excesso e proporcionalidade em sentido estrito, este estudo as dissocia, explicando por que consubstanciam espécies distintas de controle argumentativo. Tudo isso da forma mais direta possível, e mediante a apresentação de exemplos no curso da argumentação.

Assim procedendo, são criadas condições para incorporar a justiça no debate jurídico, sem comprometimento da racionalidade argumentativa.

Para cumprir esse desiderato, investiga-se, em primeiro lugar, o fenômeno da interpretação no Direito, com a finalidade de compreender que a atribuição do qualificativo *princípios* ou *regras* a determinadas espécies normativas depende, antes de tudo, de conexões axiológicas que não estão prontas antes do processo de interpretação que as desvela. Em segundo lugar, será proposta uma definição de *princípios*, com o objetivo de compreender quais são as características que lhes são próprias relativamente a outras normas que compõem o ordenamento jurídico. Logo após, será investigada a eficácia dos princípios e das regras. Em terceiro lugar, serão examinadas as condições de aplicação dos princípios e regras, quais sejam, os postulados normativos aplicativos.

2
PRINCÍPIOS E REGRAS

2.1 Distinções preliminares

2.1.1 Texto e norma

Normas não são textos nem o conjunto deles, mas os sentidos construídos a partir da interpretação sistemática de textos normativos. Daí se afirmar que os dispositivos se constituem no objeto da interpretação; e as normas, no seu resultado.[1] O importante é que não existe correspondência entre norma e dispositivo, no sentido de que sempre que houver um dispositivo haverá uma norma, ou sempre que houver uma norma deverá haver um dispositivo que lhe sirva de suporte.

Em alguns casos há norma mas não há dispositivo. Quais são os dispositivos que prevêem os princípios da segurança jurídica e da certeza do Direito? Nenhum. Então há normas, mesmo sem dispositivos específicos que lhes dêem suporte físico.

Em outros casos há dispositivo mas não há norma. Qual norma pode ser construída a partir do enunciado constitucional que prevê a *proteção de Deus*? Nenhuma. Então, há dispositivos a partir dos quais não é construída norma alguma.

Em outras hipóteses há apenas um dispositivo, a partir do qual se constrói mais de uma norma. Bom exemplo é o exame do enunciado prescritivo que exige lei para a instituição ou aumento de tributos, a partir do qual pode-se chegar ao princípio da legalidade, ao princípio da tipicidade, à proibição de regulamentos independentes e à proibição de delegação normativa. Outro exemplo ilustrativo é a declaração de inconstitucionalidade parcial sem redução de texto: o Supremo Tribunal Federal, ao proceder ao exame de constitucionalidade das normas, investiga os vários sentidos que compõem o significado de determinado dispositivo, declarando, sem mexer no texto, a inconstitucionalidade daqueles que são incompatíveis com a Constituição Federal. O dispositivo fica mantido, mas as normas construídas a partir dele, e que são incom-

1. Riccardo Guastini, *Teoria e Dogmatica delle Fonti*, p. 16, e *Dalle Fonti alle Norme*, pp. 20 e ss.

patíveis com a Constituição Federal, são declaradas nulas. Então há dispositivos a partir dos quais se pode construir mais de uma norma.

Noutros casos há mais de um dispositivo, mas a partir deles só é construída uma norma. Pelo exame dos dispositivos que garantem a legalidade, a irretroatividade e a anterioridade chega-se ao princípio da segurança jurídica. Dessa forma, pode haver mais de um dispositivo e ser construída uma só norma.

E o que isso quer dizer? Significa que não há correspondência biunívoca entre dispositivo e norma – isto é, onde houver um não terá obrigatoriamente de haver o outro.

2.1.2 Descrição, construção e reconstrução

Essas considerações que apontam para a desvinculação entre o texto e seus sentidos também conduzem à conclusão de que a função da Ciência do Direito não pode ser considerada como mera descrição do significado, quer na perspectiva da comunicação de uma informação ou conhecimento a respeito de um texto, quer naquela da intenção do seu autor.

De um lado, a compreensão do significado como o conteúdo conceptual de um texto pressupõe a existência de um significado intrínseco que independa do uso ou da interpretação. Isso, porém, não ocorre, pois o significado não é algo incorporado ao conteúdo das palavras, mas algo que depende precisamente de seu uso e interpretação, como comprovam as modificações de sentidos dos termos no tempo e no espaço e as controvérsias doutrinárias a respeito de qual o sentido mais adequado que se deve atribuir a um texto legal. Por outro lado, a concepção que aproxima o significado da intenção do legislador pressupõe a existência de um autor determinado e de uma vontade unívoca fundadora do texto. Isso, no entanto, também não sucede, pois o processo legislativo qualifica-se justamente como um processo complexo que não se submete a um autor individual, nem a uma vontade específica. Sendo assim, a interpretação não se caracteriza como um ato de descrição de um significado previamente dado, mas como um ato de decisão que *constitui* a significação e os sentidos de um texto.[2] A questão nuclear disso tudo está no fato de que o intérprete não atribui "o" significado correto aos termos legais. Ele tão-só constrói exemplos de uso da linguagem ou versões de significado – sentidos –, já que a lin-

2. Riccardo Guastini, "Interprétation et description de normes", in Paul Amselek (org.), *Interprétation et Droit*, pp. 97-98.

guagem nunca é algo pré-dado, mas algo que se concretiza no uso ou, melhor, como uso.[3]

Essas considerações levam ao entendimento de que a atividade do intérprete – quer julgador, quer cientista – não consiste em meramente descrever o significado previamente existente dos dispositivos. Sua atividade consiste em constituir esses significados.[4] Em razão disso, também não é plausível aceitar a idéia de que a aplicação do Direito envolve uma atividade de subsunção entre conceitos prontos antes mesmo do processo de aplicação.[5]

Todavia, a constatação de que os sentidos são construídos pelo intérprete no processo de interpretação não deve levar à conclusão de que não há significado algum antes do término desse processo de interpretação. Afirmar que o significado depende do uso não é o mesmo que sustentar que ele só surja com o uso específico e individual. Isso porque há traços de significado mínimos incorporados ao uso ordinário ou técnico da linguagem. Wittgenstein refere-se aos *jogos de linguagem*: há sentidos que preexistem ao processo particular de interpretação, na medida em que resultam de estereótipos de conteúdos já existentes na comunicação lingüística geral.[6] Heidegger menciona o *enquanto hermenêutico*: há estruturas de compreensão existentes de antemão ou *a priori*, que permitem a compreensão mínima de cada sentença sob certo ponto de vista já incorporado ao uso comum da linguagem.[7] Miguel Reale faz uso da *condição **a priori** intersubjetiva*: há condições estruturais preexistentes no processo de cognição, que fazem com que o sujeito interprete algo anterior que se lhe apresenta para ser

3. Friedrich Müller, "Warum Rechtslinguistik? Gemeinsame Probleme von Sprachwissenschaft und Rechtstheorie", in Wilfried Erbguth, Friedrich Müller, e Volker Neumann (orgs.), *Rechtstheorie und Rechtsdogmatik im Austausch. Gedächtnisschrift für Bernd Jeand'Heur*, p. 40; Manfred Herbert, *Rechtstheorie als Sprachkritik. Zum Einfluß Wittgensteins auf die Rechtstheorie*, p. 290.

4. Eros Roberto Grau, *Ensaio e Discurso sobre a Interpretação/Aplicação do Direito*, pp. 20, 54, 69, 71 e 73; Paulo de Barros Carvalho, *Curso de Direito Tributário*, 14ª ed., p. 8.

5. Eros Roberto Grau, *Ensaio...*, pp. 73 e ss.; Arthur Kaufmann, *Analogie und "Natur der Sache"*, 2ª ed., pp. 37 e ss., e "Die *ipsa res iusta*", in *Beiträge zur Juristischen Hermeneutik*, 2ª ed., p. 58.

6. Ludwig Wittgenstein, *Tratado Lógico-Filosófico – Investigações Filosóficas*, p. 263; Aulis Aarnio, *Reason and Authority. A Treatise on the Dynamic Paradigm of Legal Dogmatics*, p. 113.

7. Cf. Marlene Zarader, *Heidegger et les Paroles de l'Origine*, p. 54; Ernildo Stein, "Não podemos dizer a mesma coisa com outras palavras", in Urbano Zilles (org.), *Miguel Reale: Estudos em Homenagem a seus 90 Anos*, p. 489.

interpretado.[8] Pode-se, com isso, afirmar que o uso comunitário da linguagem constitui algumas condições de uso da própria linguagem. Como lembra Aarnio, termos como "vida", "morte", "mãe", "antes", "depois", apresentam *significados intersubjetivados*, que não precisam, a toda nova situação, ser fundamentados. Eles funcionam como condições dadas da comunicação.[9]

Por conseguinte, pode-se afirmar que o intérprete não só constrói, mas *reconstrói* sentido, tendo em vista a existência de significados incorporados ao uso lingüístico e construídos na comunidade do discurso. Expressões como "provisória" ou "ampla", ainda que possuam significações indeterminadas, possuem núcleos de sentidos que permitem, ao menos, indicar quais as situações em que certamente não se aplicam: *provisória* não será aquela medida que produz efeitos ininterruptos no tempo; *ampla* não será aquela defesa que não dispõe de todos os instrumentos indispensáveis à sua mínima realização. E assim por diante. Daí se dizer que *interpretar* é *construir a partir de algo*, por isso significa *reconstruir*: a uma, porque utiliza como ponto de partida os textos normativos, que oferecem limites à construção de sentidos; a duas, porque manipula a linguagem, à qual são incorporados *núcleos de sentidos*, que são, por assim dizer, constituídos pelo uso, e preexistem ao processo interpretativo individual.

A conclusão trivial é a de que o Poder Judiciário e a Ciência do Direito constroem significados, mas enfrentam limites cuja desconsideração cria um descompasso entre a previsão constitucional e o direito constitucional concretizado. Compreender "provisória" como *permanente*, "trinta dias" como *mais de trinta dias*, "todos os recursos" como *alguns recursos*, "ampla defesa" como *restrita defesa*, "manifestação concreta de capacidade econômica" como *manifestação provável de capacidade econômica*, não é concretizar o texto constitucional. É, a pretexto de concretizá-lo, menosprezar seus sentidos mínimos. Essa constatação explica por que a doutrina tem tão efusivamente criticado algumas decisões proferidas pelo Supremo Tribunal Federal.

Além de levar às mencionadas conclusões, o exposto também exige a substituição de algumas crenças tradicionais por conhecimentos mais sólidos: é preciso substituir a convicção de que o dispositivo identifica-se com a norma, pela constatação de que o dispositivo é o ponto de partida da interpretação; é necessário ultrapassar a crendice de que

8. *Cinco Temas do Culturalismo*, pp. 30 e 40.

9. *Denkweisen der Rechtswissenschaft*, p. 159.

a função do intérprete é meramente descrever significados, em favor da compreensão de que o intérprete reconstrói sentidos, quer o cientista, pela construção de conexões sintáticas e semânticas, quer o aplicador, que soma àquelas conexões as circunstâncias do caso a julgar; importa deixar de lado a opinião de que o Poder Judiciário só exerce a função de legislador negativo, para compreender que ele concretiza o ordenamento jurídico diante do caso concreto.[10]

Enfim, é justamente porque as normas são construídas pelo intérprete a partir dos dispositivos que não se pode chegar à conclusão de que este ou aquele dispositivo *contém* uma regra ou um princípio. Essa qualificação normativa depende de conexões axiológicas que não estão incorporadas ao texto nem a ele pertencem, mas são, antes, construídas pelo próprio intérprete. Isso não quer dizer, como já afirmado, que o intérprete é livre para fazer as conexões entre as normas e os fins a cuja realização elas servem. O ordenamento jurídico estabelece a realização de fins, a preservação de valores e a manutenção ou a busca de determinados bens jurídicos essenciais à realização daqueles fins e à preservação desses valores. O intérprete não pode desprezar esses pontos de partida. Exatamente por isso a atividade de interpretação traduz melhor uma atividade de *reconstrução*: o intérprete deve interpretar os dispositivos constitucionais de modo a explicitar suas versões de significado de acordo com os fins e os valores entremostrados na linguagem constitucional.

O decisivo, por enquanto, é saber que a qualificação de determinadas normas como *princípios* ou como *regras* depende da colaboração constitutiva do intérprete. Resta saber como devem ser definidos os princípios e qual a proposta aqui defendida.

2.2 Panorama da evolução da distinção entre princípios e regras

Vários são os autores que propuseram definições para as espécies normativas, dentre as quais algumas tiveram grande repercussão doutrinária. O escopo deste estudo não é investigar todas as concepções acerca da distinção entre princípios e regras, nem mesmo examinar o conjunto da obra dos seus mais importantes defensores.[11] O objetivo

10. Sobre essa questão, em pormenor: Humberto Bergmann Ávila, "Estatuto do Contribuinte: conteúdo e alcance", *Revista da Associação Brasileira de Direito Tributário* 7/73-104.

11. Sobre essa questão, no Direito Brasileiro, v., especialmente: Eros Roberto Grau, *Ensaio...*, 2002; Walter Claudius Rothenburg, *Princípios Constitucionais*,

deste trabalho é, primeiro, descrever os fundamentos dos trabalhos mais importantes sobre o tema e, segundo, analisar os critérios de distinção adotados, de forma objetiva e crítica.

Para Josef Esser, princípios são aquelas normas que estabelecem fundamentos para que determinado mandamento seja encontrado.[12] Mais do que uma distinção baseada no grau de abstração da prescrição normativa, a diferença entre os princípios e as regras seria uma distinção qualitativa.[13] O critério distintivo dos princípios em relação às regras seria, portanto, a função de fundamento normativo para a tomada de decisão.

Seguindo o mesmo caminho, Karl Larenz define os princípios como normas de grande relevância para o ordenamento jurídico, na medida em que estabelecem fundamentos normativos para a interpretação e aplicação do Direito, deles decorrendo, direta ou indiretamente, normas de comportamento.[14] Para esse autor os princípios seriam pensamentos diretivos de uma regulação jurídica existente ou possível, mas que ainda não são regras suscetíveis de aplicação, na medida em que lhes falta o caráter formal de proposições jurídicas, isto é, a conexão entre uma *hipótese de incidência* e uma *conseqüência jurídica*. Daí por que os princípios indicariam somente a direção em que está situada a regra a ser encontrada, como que determinando um primeiro passo direcionador de outros passos para a obtenção da regra.[15] O critério distintivo dos princípios em relação às regras também seria a função de fundamento normativo para a tomada de decisão, sendo essa qualidade decorrente do modo hipotético de formulação da prescrição normativa.

Para Canaris duas características afastariam os princípios das regras. Em primeiro lugar, o conteúdo axiológico: os princípios, ao contrário das regras, possuiriam um conteúdo axiológico explícito e careceriam, por isso, de regras para sua concretização. Em segundo lugar, há o modo de interação com outras normas: os princípios, ao contrário das regras, receberiam seu conteúdo de sentido somente por meio de

1999. No direito estrangeiro, v.: J. J. Gomes Canotilho, *Direito Constitucional e Teoria da Constituição*, 3ª ed., pp. 1.086 e ss.; Alfonso García Figueroa, *Principios y Positivismo Jurídico*, 1998.

12. *Grundsatz und Norm in der richterlichen Fortbildung des Privatrechts*, 4ª tir., p. 51.

13. Idem, ibidem.

14. *Richtiges Recht*, p. 26, e *Methodenlehre der Rechtswissenschaft*, 6ª ed., p. 474.

15. Karl Larenz, *Richtiges Recht*, p. 23.

um processo dialético de complementação e limitação.[16] Acrescentam-se, pois, novos elementos aos critérios distintivos antes mencionados, na medida em que se qualifica como axiológica a fundamentação exercida pelos princípios e se predica como distintivo seu modo de interação.

Foi na tradição anglo-saxônica que a definição de princípios recebeu decisiva contribuição.[17] A finalidade do estudo de Dworkin foi fazer um ataque geral ao Positivismo (*general attack on Positivism*), sobretudo no que se refere ao modo aberto de argumentação permitido pela aplicação do que ele viria a definir como princípios (*principles*).[18] Para ele as regras são aplicadas ao modo *tudo ou nada* (*all-or-nothing*), no sentido de que, se a hipótese de incidência de uma regra é preenchida, ou é a regra válida e a conseqüência normativa deve ser aceita, ou ela não é considerada válida. No caso de colisão entre regras, uma delas deve ser considerada inválida. Os princípios, ao contrário, não determinam absolutamente a decisão, mas somente contêm fundamentos, os quais devem ser conjugados com outros fundamentos provenientes de outros princípios.[19] Daí a afirmação de que os princípios, ao contrário das regras, possuem uma dimensão de peso (*dimension of weight*), demonstrável na hipótese de colisão entre os princípios, caso em que o princípio com peso relativo maior se sobrepõe ao outro, sem que este perca sua validade.[20] Nessa direção, a distinção elaborada por Dworkin não consiste numa distinção de grau, mas numa diferenciação quanto à estrutura lógica, baseada em critérios classificatórios, em vez de comparativos, como afirma Robert Alexy.[21] A distinção por ele proposta difere das anteriores porque se baseia, mais intensamente, no modo de aplicação e no relacionamento normativo, estremando as duas espécies normativas.

Alexy, partindo das considerações de Dworkin, precisou ainda mais o conceito de princípios. Para ele os princípios jurídicos consistem apenas em uma espécie de normas jurídicas por meio da qual são estabelecidos deveres de otimização aplicáveis em vários graus, segun-

16. Claus-Wilhelm Canaris, *Systemdenken und Systembegriff in der Jurisprudenz*, pp. 50, 53 e 55.

17. Ronald Dworkin, "The model of rules", *University of Chicago Law Review* 35/14 e ss.

18. Ronald Dworkin, "The model of rules", *University of Chicago Law Review* 35/22, e "Is law a system of rules?", in *The Philosophy of Law*, p. 43.

19. Ronald Dworkin, *Taking Rights Seriously*, 6ª tir., p. 26, e "Is law a system of rules?", in *The Philosophy of Law*, p. 45.

20. Ronald Dworkin, *Taking Righs Seriously*, 6ª tir., p. 26.

21. "Zum Begriff des Rechtsprinzips", in *Argumentation und Hermeneutik in der Jurisprudenz, Rechtstheorie*, Beiheft 1/65.

do as possibilidades normativas e fáticas.[22] Com base na jurisprudência do Tribunal Constitucional Alemão, Alexy demonstra a relação de tensão ocorrente no caso de colisão entre os princípios: nesse caso, a solução não se resolve com a determinação imediata da prevalência de um princípio sobre outro, mas é estabelecida em função da ponderação entre os princípios colidentes, em função da qual um deles, em determinadas circunstâncias concretas, recebe a prevalência.[23] Os princípios, portanto, possuem apenas uma dimensão de peso e não determinam as conseqüências normativas de forma direta, ao contrário das regras.[24] É só a aplicação dos princípios diante dos casos concretos que os concretiza mediante regras de colisão. Por isso, a aplicação de um princípio deve ser vista sempre com uma cláusula de reserva, a ser assim definida: "Se no caso concreto um outro princípio não obtiver maior peso".[25] É dizer o mesmo: a ponderação dos princípios conflitantes é resolvida mediante a criação de regras de prevalência, o que faz com que os princípios, desse modo, sejam aplicados também ao modo *tudo ou nada* (*Alles-oder-Nichts*).[26] Essa espécie de tensão e o modo como ela é resolvida é o que distingue os princípios das regras: enquanto no conflito entre regras é preciso verificar se a regra está dentro ou fora de determinada ordem jurídica (*problema do dentro ou fora*), o conflito entre princípios já se situa no interior desta mesma ordem (*teorema da colisão*).[27]

Daí a definição de princípios como *deveres de otimização* aplicáveis em vários graus segundo as possibilidades normativas e fáticas: normativas, porque a aplicação dos princípios depende dos princípios e regras que a eles se contrapõem; fáticas, porque o conteúdo dos princípios como normas de conduta só pode ser determinado quando diante dos fatos. Com as regras acontece algo diverso. "De outro lado

22. Robert Alexy, "Zum Begriff des Rechtsprinzips", in *Argumentation und Hermeneutik in der Jurisprudenz, Rechtstheorie*, Beiheft 1/59 e ss.; *Recht, Verfunft, Diskurs*, p. 177; "Rechtsregeln und Rechtsprinzipien", *Archives Rechts und Sozialphilosophie*, Beiheft 25/19 e ss.; "Rechtssystem und praktische Vernunft", in *Recht, Vernunft, Diskurs*, pp. 216-217; e *Theorie der Grundrechte*, 2ª ed., pp. 77 e ss.

23. Robert Alexy, "Rechtsregeln und Rechtsprinzipien", *Archives Rechts und Sozialphilosophie*, Beiheft 25/17.

24. Idem, p. 18.

25. Idem, ibidem.

26. Robert Alexy, *Theorie der Grundrechte*, 2ª ed., pp. 80 e 83, e "Zum Begriff des Rechtsprinzips", in *Argumentation und Hermeneutik in der Jurisprudenz, Rechtstheorie*, Beiheft 1/70.

27. Robert Alexy, "Rechtsregeln und Rechtsprinzipien", *Archives Rechts und Sozialphilosophie*, Beiheft 25/19, e "Zum Begriff des Rechtsprinzips", in *Argumentation und Hermeneutik in der Jurisprudenz, Rechtstheorie*, Beiheft 1/70.

regras são normas, que podem ou não podem ser realizadas. Quando uma regra vale, então é determinado fazer exatamente o que ela exige, nada mais e nada menos."[28] As regras jurídicas, como o afirmado, são normas cujas premissas são, ou não, diretamente preenchidas, e no caso de colisão será a contradição solucionada seja pela introdução de uma exceção à regra, de modo a excluir o conflito, seja pela decretação de invalidade de uma das regras envolvidas.[29]

A distinção entre princípios e regras – segundo Alexy – não pode ser baseada no modo *tudo ou nada* de aplicação proposto por Dworkin, mas deve resumir-se, sobretudo, a dois fatores: *diferença quanto à colisão*, na medida em que os princípios colidentes apenas têm sua realização normativa limitada reciprocamente, ao contrário das regras, cuja colisão é solucionada com a declaração de invalidade de uma delas ou com a abertura de uma exceção que exclua a antinomia; *diferença quanto à obrigação que instituem*, já que as regras instituem obrigações absolutas, não superadas por normas contrapostas, enquanto os princípios instituem obrigações *prima facie*, na medida em que podem ser superadas ou derrogadas em função dos outros princípios colidentes.[30]

Essa evolução doutrinária, além de indicar que há distinções fracas (Esser, Larenz, Canaris) e fortes (Dworkin, Alexy) entre princípios e regras, demonstra que os critérios usualmente empregados para a distinção são os seguintes:

Em primeiro lugar, há o critério do *caráter hipotético-condicional*, que se fundamenta no fato de as regras possuírem uma hipótese e uma conseqüência que predeterminam a decisão, sendo aplicadas ao modo *se, então*, enquanto os princípios apenas indicam o fundamento a ser utilizado pelo aplicador para futuramente encontrar a regra para o caso concreto. Dworkin afirma: "Se os fatos estipulados por uma regra ocorrem, então ou a regra é válida, em cujo caso a resposta que ela fornece deve ser aceita, ou ela não é, em cujo caso ela em nada contribui para a decisão".[31] Caminho não muito diverso também é seguido

28. Robert Alexy, "Rechtsregeln und Rechtsprinzipien", *Archives Rechts und Sozialphilosophie*, Beiheft 25/21.

29. Robert Alexy, "Rechtssystem und praktische Vernunft", in *Recht, Vernunft, Diskurs*, pp. 216-217, e *Theorie der Grundrechte*, 2ª ed., p. 77.

30. Robert Alexy, "Rechtsregeln und Rechtsprinzipien", *Archives Rechts und Sozialphilosophie*, Beiheft 25/20.

31. *Takings Rights Seriously*, 6ª tir., p. 24: "If the facts a rule stipulates are given, then either the rule is valid, in which case the answer it supplies must be accepted, or it is not, in which case it contributes nothing to the decision".

por Alexy quando define as regras como normas cujas premissas são, ou não, diretamente preenchidas.[32]

Em segundo lugar, há o critério do *modo final de aplicação*, que se sustenta no fato de as regras serem aplicadas de modo absoluto *tudo ou nada*, ao passo que os princípios são aplicados de modo gradual *mais ou menos*.

Em terceiro lugar, o critério do *relacionamento normativo*, que se fundamenta na idéia de a antinomia entre as regras consubstanciar verdadeiro conflito, solucionável com a declaração de invalidade de uma das regras ou com a criação de uma exceção, ao passo que o relacionamento entre os princípios consiste num imbricamento, solucionável mediante ponderação que atribua uma dimensão de peso a cada um deles.

Em quarto lugar, há o critério do *fundamento axiológico*, que considera os princípios, ao contrário das regras, como fundamentos axiológicos para a decisão a ser tomada.

Todos esses critérios de distinção são importantes, pois apontam para qualidades dignas de serem examinadas pela Ciência do Direito. Isso não nos impede, porém, de investigar modos de aperfeiçoamento desses critérios de distinção, não no sentido de desprezar sua importância e, muito menos ainda, de negar o mérito das obras que os examinaram; mas, em vez disso, naquele de confirmar sua valia pela forma mais adequada para demonstrar consideração e respeito científicos: a crítica.

2.3 Critérios de distinção entre princípios e regras

2.3.1 Critério do "caráter hipotético-condicional"

2.3.1.1 Conteúdo

Segundo alguns autores os princípios poderiam ser distinguidos das regras pelo *caráter hipotético-condicional*, pois, para eles, as regras possuem uma hipótese e uma conseqüência que predeterminam a decisão, sendo aplicadas ao modo *se, então*; os princípios apenas indicam o fundamento a ser utilizado pelo aplicador para, futuramente, encontrar a regra aplicável ao caso concreto.

Esser definiu os princípios como normas que estabelecem fundamentos para que determinado mandamento seja encontrado, enquanto,

32. "Rechtssystem und praktische Vernunft", in *Recht, Vernunft, Diskurs*, pp. 216-217, e *Theorie der Grundrechte*, 2ª ed., p. 77.

para ele, as regras determinam a própria decisão.[33] Larenz definiu os princípios como normas de grande relevância para o ordenamento jurídico, na medida em que estabelecem fundamentos normativos para a interpretação e aplicação do Direito, deles decorrendo, direta ou indiretamente, normas de comportamento.[34]

2.3.1.2 Análise crítica

O critério diferenciador referente ao *caráter hipotético-condicional* é relevante na medida em que permite verificar que as regras possuem um elemento frontalmente descritivo, ao passo que os princípios apenas estabelecem uma diretriz. Esse critério não é, porém, infenso a críticas.

Em primeiro lugar porque esse critério é impreciso. Com efeito, embora seja correta a afirmação de que os princípios indicam um primeiro passo direcionador de outros passos para a obtenção ulterior da regra, essa distinção não fornece fundamentos que indiquem o que significa dar um *primeiro passo* para encontrar a regra. Assim enunciado, esse critério de distinção ainda contribui para que o aplicador compreenda a regra como, desde já, fornecendo o *último passo* para a descoberta do conteúdo normativo. Isso, no entanto, não é verdadeiro, na medida em que o conteúdo normativo de qualquer norma – quer regra, quer princípio – depende de possibilidades normativas e fáticas a serem verificadas no processo mesmo de aplicação. Assim, o *último passo* não é dado pelo dispositivo nem pelo significado preliminar da norma, mas pela decisão interpretativa, como será adiante aprofundado.

Em segundo lugar porque a existência de uma hipótese de incidência é questão de formulação lingüística e, por isso, não pode ser elemento distintivo de uma espécie normativa. De fato, algumas normas que são qualificáveis, segundo esse critério, como princípios podem ser *reformuladas* de modo hipotético, como demonstram os seguintes exemplos: "*Se* o poder estatal for exercido, *então* deve ser garantida a participação democrática" (princípio democrático); "*Se* for desobedecida a exigência de determinação da hipótese de incidência de normas que instituem obrigações, *então* o ato estatal será considerado inválido" (princípio da tipicidade).[35]

33. *Grundsatz und Norm...*, 4ª tir., p. 51.

34. *Richtiges Recht*, p. 26, e *Methodenlehre der Rechtswissenschaft*, 6ª ed., p. 474.

35. Katharina Sobota, *Das Prinzip Rechtsstaat*, p. 415; Manfred Stelzer, *Das Wesensgehaltsargument und der Grundsatz der Verhältnismäßigkeit*, p. 215.

Esses exemplos demonstram que a existência de hipótese depende mais do modo de formulação do que propriamente de uma característica atribuível empiricamente a apenas uma categoria de normas. Além disso, o critério do *caráter hipotético-condicional* parte do pressuposto de que a espécie de norma e seus atributos normativos decorrem necessariamente do modo de formulação do dispositivo objeto de interpretação, como se a forma de exteriorização do dispositivo (objeto da interpretação) predeterminasse totalmente o modo como a norma (resultado da interpretação) vai regular a conduta humana ou como deverá ser aplicada. Percebem-se, aí, uma manifesta confusão entre dispositivo e norma e uma evidente transposição de atributos dos enunciados formulados pelo legislador para os enunciados formulados pelo intérprete.

Em terceiro lugar, mesmo que determinado dispositivo tenha sido formulado de modo hipotético pelo Poder Legislativo, isso não significa que não possa ser havido pelo intérprete como um princípio. A relação entre as normas constitucionais e os fins e os valores para cuja realização elas servem de instrumento não está concluída antes da interpretação, nem incorporada ao próprio texto constitucional antes da interpretação. Essa relação deve ser, nos limites textuais e contextuais, coerentemente construída pelo próprio intérprete. Por isso, não é correto afirmar que um dispositivo constitucional *contém* ou *é* um princípio ou uma regra, ou que determinado dispositivo, porque formulado dessa ou daquela maneira, deve ser considerado como um princípio ou como uma regra. Como o intérprete tem a função de medir e especificar a intensidade da relação entre o dispositivo interpretado e os fins e valores que lhe são, potencial e axiologicamente, sobrejacentes, ele pode fazer a interpretação jurídica de um dispositivo hipoteticamente formulado como regra ou como princípio. Tudo depende das conexões valorativas que, por meio da argumentação, o intérprete intensifica ou deixa de intensificar e da finalidade que entende deva ser alcançada. Para tanto, basta a simples conferência de alguns exemplos de dispositivos formulados hipoteticamente que ora assumem a feição de regras, ora a de princípios.

O dispositivo constitucional segundo o qual *se* houver instituição ou aumento de tributo, *então* a instituição ou aumento deve ser veiculado por lei, é aplicado como *regra* se o aplicador, visualizando o aspecto imediatamente comportamental, entendê-lo como mera exigência de lei em sentido formal para a validade da criação ou aumento de tributos; da mesma forma, pode ser aplicado como *princípio* se o aplicador, desvinculando-se do comportamento a ser seguido no processo legislativo, enfocar o aspecto teleológico, e concretizá-lo como instrumento de realização do valor *liberdade* para permitir o planejamento tributário e para proibir a tributação por meio de analogia, e como meio de realização do valor *segurança*, para garantir a previsibilidade pela determinação legal dos elementos da obrigação tributária e proibir a edição de regulamentos que ultrapassem os limites legalmente traçados.

O dispositivo constitucional segundo o qual *se* houver instituição ou aumento de tributos, *então* só podem ser abrangidos fatos geradores ocorridos após o início da vigência da lei que os houver instituído ou aumentado, é aplicado como *regra* se o aplicador entendê-lo como mera exigência de publicação de lei antes da ocorrência do fato gerador do tributo, e pode ser aplicado como *princípio* se o aplicador concretizá-lo com a finalidade de realizar o valor *segurança* para proibir o aumento de tributo no meio do exercício financeiro em que a realização do fato gerador periódico já se iniciou, ou com o objetivo de realizar o valor *confiança* para proibir o aumento individual de alíquotas, quando o Poder Executivo publicou decreto anterior prometendo baixá-las.

O dispositivo constitucional segundo o qual *se* houver instituição ou aumento de tributos, *então* só pode haver cobrança no exercício seguinte àquele em que haja sido publicada a lei que os instituiu ou aumentou, é aplicado como *regra* se o aplicador entendê-lo como mera exigência de publicação da lei antes do início do exercício financeiro da cobrança, ou como *princípio* se o aplicador concretizá-lo com a finalidade de realizar o valor *previsibilidade* para proibir o aumento de tributo quando o contribuinte não tenha condições objetivas mínimas de conhecer o conteúdo das normas que estará sujeito a obedecer, ou para postergar o reinício da cobrança de tributo cuja isenção foi revogada no curso do exercício financeiro.

Os exemplos antes referidos atestam que o decisivo para uma norma ser qualificada como princípio não é ser construída a partir de um dispositivo exteriorizado por uma hipótese normativa pretensamente determinada. De um lado, qualquer norma pode ser reformulada de modo a possuir uma hipótese de incidência seguida de uma conseqüência.[36] De outro lado, em qualquer norma, mesmo havendo uma hipótese seguida de uma conseqüência, há referência a fins. Enfim, o qualifi-

36. Frederick Schauer, *Playing by the Rules. A Philosophical Examination of Rule-Based Decision-Making in Law and in Life*, p. 23; Riccardo Guastini, *Distinguendo: Studi dei Teoria e Metateoria del Diritto*, p. 120.

cativo de princípio ou de regra depende do uso argumentativo, e não da estrutura hipotética.[37]

Além disso, não é correto afirmar que os princípios, ao contrário das regras, não possuem nem conseqüências normativas, nem hipóteses de incidência. Os princípios também possuem conseqüências normativas. De um lado, a razão (fim, tarefa) à qual o princípio se refere deve ser julgada relevante diante do caso concreto.[38] De outro, o comportamento necessário para a realização ou preservação de determinado estado ideal de coisas (*Idealzustand*) deve ser adotado.[39] Os deveres de atribuir relevância ao fim a ser buscado e de adoção de comportamentos necessários à realização do fim são conseqüências normativas importantíssimas. Ademais, apesar de os princípios não possuírem um caráter frontalmente descritivo de comportamento, não se pode negar que sua interpretação pode, mesmo em nível abstrato, indicar as espécies de comportamentos a serem adotados, especialmente se for feita uma reconstrução dos casos mais importantes.

O ponto decisivo não é, pois, a ausência da prescrição de comportamentos e de conseqüências no caso dos princípios, mas o tipo da prescrição de comportamentos e de conseqüências, o que é algo diverso.

2.3.2 Critério do "modo final de aplicação"

2.3.2.1 Conteúdo

Segundo alguns autores os princípios poderiam ser distinguidos das regras pelo critério do *modo final de aplicação*, pois, para eles, as regras são aplicadas de modo absoluto *tudo ou nada*, ao passo que os princípios, de modo gradual *mais ou menos*.

Dworkin afirma que as regras são aplicadas de modo *tudo ou nada* (*all-or-nothing*) no sentido de que, se a hipótese de incidência de uma regra é preenchida, ou é a regra válida e a conseqüência normativa deve ser aceita, ou ela não é considerada válida. Os princípios, ao contrário, não determinam absolutamente a decisão, mas somente contêm fundamentos, que devem ser conjugados com outros fundamentos provenientes de ou-

37. Manfred Stelzer, *Das Wesensgehaltsargument...*, p. 215.

38. Torstein Eckhoff, "Legal principles", in *Prescriptive Formality and Normative Rationality in Modern Legal Systems. Festschrift for Robert S. Summers*, p. 38.

39. Georg Henrik von Wright, "Sein und Sollen", in *Normen, Werte und Handlungen*, p. 36.

tros princípios.[40] Segundo ele, se os fatos estipulados por uma regra ocorrem, então ou a regra é válida, em cujo caso a resposta que ela fornece deve ser aceita, ou deve ser encontrada uma exceção a essa regra.[41]

Alexy, apesar de atribuir importância à criação de exceções e de salientar o seu distinto caráter *prima facie*, define as regras como normas cujas premissas são ou não diretamente preenchidas e que não podem nem devem ser ponderadas.[42] Segundo o autor, as regras instituem obrigações definitivas, já que não superáveis por normas contrapostas, enquanto os princípios instituem obrigações *prima facie*, na medida em que podem ser superadas ou derrogadas em função de outros princípios colidentes.[43]

2.3.2.2 Análise crítica

O critério do *modo final de aplicação*, embora tenha chamado a atenção para aspectos importantes das normas jurídicas, pode ser parcialmente reformulado. Senão, vejamos.

Inicialmente é preciso demonstrar que o modo de aplicação não está determinado pelo texto objeto de interpretação, mas é decorrente de conexões axiológicas que são construídas (ou, no mínimo, coerentemente intensificadas) pelo intérprete, que pode inverter o modo de aplicação havido inicialmente como elementar. Com efeito, muitas vezes o caráter absoluto da regra é completamente modificado depois da consideração de todas as circunstâncias do caso. É só conferir alguns exemplos de normas que preliminarmente indicam um modo absoluto de aplicação mas que, com a consideração a todas as circunstâncias, terminam por exigir um processo complexo de ponderação de razões e contra-razões.

De um lado, há normas cujo conteúdo normativo preliminar estabelece limites objetivos, cujo descumprimento aparenta impor, de modo absoluto, a implementação da conseqüência. Essa obrigação, dita *absoluta*, não impede, todavia, que outras razões contrárias venham a se sobrepor em determinados casos. Vejam-se alguns exemplos.

40. Ronald Dworkin, *Taking Righs Seriously*, 6ª tir., p. 26, e "Is law a system of rules?", in *The Philosophy of Law*, p. 45.

41. Ronald Dworkin, *Takings Rights Seriously*, 6ª tir., p. 24.

42. "Rechtssystem und praktische Vernunft", in *Recht, Vernunft, Diskurs*, pp. 216-217, e *Theorie der Grundrechte*, 2ª ed., p. 77.

43. Robert Alexy, "Rechtsregeln und Rechtsprinzipien", in *Archives Rechts und Sozialphilosophie*, Beiheft 25/20.

A norma construída a partir do art. 224 do Código Penal, ao prever o crime de estupro, estabelece uma presunção incondicional de violência para o caso de a vítima ter idade inferior a 14 anos. *Se* for praticada uma relação sexual com menor de 14 anos, *então* deve ser presumida a violência por parte do autor. A norma não prevê qualquer exceção. A referida norma, dentro do padrão classificatório aqui examinado, seria uma regra, e, como tal, instituidora de uma obrigação absoluta: se a vítima for menor de 14 anos, e a regra for válida, o estupro com violência presumida deve ser aceito. Mesmo assim, o Supremo Tribunal Federal, ao julgar um caso em que a vítima tinha 12 anos, atribuiu tamanha relevância a *circunstâncias particulares não previstas pela norma*, como a aquiescência da vítima ou a aparência física e mental de pessoa mais velha, que terminou por entender, preliminarmente, como não configurado o tipo penal, apesar de os requisitos normativos expressos estarem presentes.[44] Isso significa que a aplicação revelou que aquela obrigação, havida como absoluta, foi superada por razões contrárias *não previstas pela própria ou outra regra.*

A norma construída a partir do inciso II do art. 37 da Constituição Federal estabelece que a investidura em cargo ou emprego público depende de aprovação prévia em concurso público de provas ou de provas e títulos. *Se* for feita admissão de funcionário público, *então* essa investidura deverá ser precedida de concurso público; caso contrário essa investidura deverá ser declarada inválida. Além disso, o responsável pela contratação terá, conforme a lei, praticado ato de improbidade administrativa, com várias conseqüências, inclusive o ingresso da ação penal cabível. Mesmo assim, o Supremo Tribunal Federal deixou de dar seguimento à ação cabível ao julgar caso em que a prefeita de um Município foi denunciada porque, quando exercia a chefia do Poder Executivo Municipal, contratou sem concurso público um cidadão para a prestação de serviços como gari pelo período de nove meses. No julgamento do *habeas corpus* considerou-se inexistente qualquer prejuízo para o Município em decorrência desse caso isolado. Além disso, considerou-se atentatório à ordem natural das coisas, e, por conseguinte, ao princípio da razoabilidade, exigir a realização de concurso público para uma única admissão para o exercício de atividade de menor hierarquia.[45] Nesse caso, a regra segundo a qual é necessário concurso público para contratação de agente público incidiu, mas a conseqüência

44. 2ª Turma, HC 73.662-9, rel. Min. Marco Aurélio, *DJU* 20.9.1996.
45. 2ª Turma, HC 77.003-4, rel. Min. Marco Aurélio, *DJU* 11.9.1998.

do seu descumprimento não foi aplicada (invalidade da contratação e, em razão de outra norma, prática de ato de improbidade) porque a falta de adoção do comportamento por ela previsto não comprometia a promoção do fim que a justificava (proteção do patrimônio público). Dito de outro modo: segundo a decisão, o patrimônio público não deixaria de ser protegido pela mera contratação de um gari por tempo determinado.

A legislação tributária federal estabelecia que o ingresso no programa de pagamento simplificado de tributos federais implicava a proibição de importação de produtos estrangeiros. *Se* fosse feita importação, *então* a empresa seria excluída do programa de pagamento simplificado. Uma pequena fábrica de sofás, enquadrada como empresa de pequeno porte para efeito de pagar conjuntamente os tributos federais, foi excluída desse mecanismo por ter infringido a condição legal de não efetuar a importação de produtos estrangeiros. De fato, a empresa efetuou uma importação. A importação, porém, foi de quatro pés de sofás, para um só sofá, uma única vez. Recorrendo da decisão, a exclusão foi anulada por violar a razoabilidade, na medida em que uma *interpretação dentro do razoável* indica que a interpretação deve ser feita "em consonância com aquilo que, para o senso comum, seria aceitável perante a lei".[46] Nesse caso, a regra segundo a qual é proibida a importação para a permanência no regime tributário especial incidiu, mas a conseqüência do seu descumprimento não foi aplicada (exclusão do regime tributário especial), porque a falta de adoção do comportamento por ela previsto não comprometia a promoção do fim que a justificava (estímulo da produção nacional por pequenas empresas). Dito de outro modo: segundo a decisão, o estímulo à produção nacional não deixaria de ser promovido pela mera importação de alguns pés de sofá.

Os casos acima enumerados, aos quais outros poderiam ser somados, indicam que a conseqüência estabelecida *prima facie* pela norma pode deixar de ser aplicada em face de razões substanciais consideradas pelo aplicador, mediante condizente fundamentação, como superiores àquelas que justificam a própria regra. Ou se examina a razão que fundamenta a própria regra (*rule's purpose*) para compreender, restringindo ou ampliando, o conteúdo de sentido da hipótese normativa, ou se recorre a outras razões, baseadas em outras normas, para justificar o descumprimento daquela regra (*overruling*). Essas considerações bas-

46. 2º Conselho de Contribuintes, 2ª Câmara, Processo 13003.000021/99-14, sessão de 18.10.2000.

tam para demonstrar que não é adequado afirmar que as regras "possuem" um modo absoluto "tudo ou nada" de aplicação. Também as normas que aparentam indicar um modo incondicional de aplicação podem ser objeto de superação por razões não imaginadas pelo legislador para os casos normais. A consideração de circunstâncias concretas e individuais não diz respeito à estrutura das normas, mas à sua aplicação; tanto os princípios como as regras podem envolver a consideração a aspectos específicos, abstratamente desconsiderados.[47]

De outro lado, há regras que contêm expressões cujo âmbito de aplicação não é (total e previamente) delimitado, ficando o intérprete encarregado de decidir pela incidência ou não da norma diante do caso concreto. Nessas hipóteses o caráter absoluto da regra se perde em favor de um modo *mais ou menos* de aplicação. O livro eletrônico é um bom exemplo de que somente um complexo processo de ponderação de argumentos a favor e contra sua inclusão no âmbito da regra de imunidade permite decidir pela imunidade relativa a impostos.[48]

Todas essas considerações demonstram que a afirmação de que as regras são aplicadas ao modo *tudo ou nada* só tem sentido quando todas as questões relacionadas à validade, ao sentido e à subsunção final dos fatos já estiverem superadas.[49] Mesmo no caso de regras essas questões não são facilmente solucionadas. Isso porque a vagueza não é traço distintivo dos princípios, mas elemento comum de qualquer enunciado prescritivo, seja ele um princípio, seja ele uma regra.[50]

Nessa direção, importa dizer que a característica específica das regras (implementação de conseqüência predeterminada) só pode surgir após sua interpretação. Somente nesse momento é que podem ser compreendidas se e quais as conseqüências que, no caso de sua aplicação a um caso concreto, serão supostamente implementadas. Vale dizer: a distinção entre princípios e regras não pode ser baseada no suposto método *tudo ou nada* de aplicação das regras, pois também elas precisam, para que sejam implementadas suas conseqüências, de um pro-

47. Klaus Günther, *Der Sinn für Angemessenheit. Anwendungsdiskurse in Moral und Recht*, p. 270.

48. Humberto Bergmann Ávila, "Argumentação jurídica e a imunidade dos livros eletrônicos", *RDTributário* 79/163-183.

49. Sobre essa ressalva, também Robert Alexy, "Zum Begriff des Rechtsprinzips", in *Argumentation und Hermeneutik in der Jurisprudenz, Rechtstheorie*, Beiheft 1/71.

50. Riccardo Guastini, *Distinguendo:...*, p. 120; Afonso Figueroa, *Principios y Positivismo Jurídico*, p. 140.

cesso prévio – e, por vezes, longo e complexo como o dos princípios – de interpretação que demonstre quais as conseqüências que serão implementadas. E, ainda assim, só a aplicação diante do caso concreto é que irá corroborar as hipóteses anteriormente havidas como automáticas. Nesse sentido, após a interpretação diante de circunstâncias específicas (ato de aplicação), tanto as regras quanto os princípios, em vez de se estremarem, se aproximam.[51] A única diferença constatável continua sendo o grau de abstração anterior à interpretação (cuja verificação também depende de prévia interpretação): no caso dos princípios o grau de abstração é maior relativamente à norma de comportamento a ser determinada, já que eles não se vinculam abstratamente a uma situação específica (por exemplo, princípio democrático, Estado de Direito); no caso das regras as conseqüências são de pronto verificáveis, ainda que devam ser corroboradas por meio do ato de aplicação. Esse critério distintivo entre princípios e regras perde, porém, parte de sua importância quando se constata, de um lado, que a aplicação das regras também depende da conjunta interpretação dos princípios que a elas digam respeito (por exemplo, regras do procedimento legislativo em correlação com o princípio democrático) e, de outro, que os princípios normalmente requerem a complementação de regras para serem aplicados.

O importante é que tanto os princípios quanto as regras permitem a consideração de aspectos concretos e individuais. No caso dos princípios essa consideração de aspectos concretos e individuais é feita sem obstáculos institucionais, na medida em que os princípios estabelecem um *estado de coisas* que deve ser promovido sem descrever, diretamente, qual o comportamento devido. O interessante é que o fim, independente da autoridade, funciona como razão substancial para adotar os comportamentos necessários à sua promoção. Adota-se um comportamento porque seus efeitos contribuem para promover o fim. Os princípios poderiam ser enquadrados na qualidade de normas que geram, para a argumentação, razões substanciais (*substantive reasons*) ou razões finalísticas (*goal reasons*).[52] Por exemplo, a interpretação do princípio da moralidade irá indicar que a seriedade, a motivação e a lealdade

51. Sobre o assunto, v. Alfonso Figueroa, *Principios y Positivismo Jurídico*, p. 152.

52. Robert Summers, "Two types of substantive reasons: the core of a theory of common-law justification", *The Jurisprudence of Law's Form and Substance (Collected Essays in Law)*, pp. 155-236 (224); Neil MacCormick, "Argumentation and interpretation in law", *Ratio Juris* 6/17, n. 1.

compõem o estado de coisas, e que comportamentos sérios, esclarecedores e leais são necessários. O princípio, porém, não indicará quais são, precisamente, esses comportamentos.

Já no caso das regras a consideração a aspectos concretos e individuais só pode ser feita com uma fundamentação capaz de ultrapassar a *trincheira* decorrente da concepção de que as regras devem ser obedecidas.[53] É a própria regra que funciona como razão para a adoção do comportamento. Adota-se o comportamento porque, independentemente dos seus efeitos, é correto. A autoridade proveniente da instituição e da vigência da regra funciona como razão de agir. As regras poderiam ser enquadradas na qualidade de normas que geram, para a argumentação, razões de correção (*rightness reasons*) ou razões autoritativas (*authority reasons*). Para seguir com um exemplo já utilizado, a violência sexual só deixa de ser presumida se houver motivos extravagantes com forte apelo justificativo, como a aquiescência manifesta da vítima e a aparência física e mental de pessoa mais velha. Enfim, no caso da aplicação de regras o aplicador também pode considerar elementos específicos de cada situação, embora sua utilização dependa de um ônus de argumentação capaz de superar as razões para cumprimento da regra. A ponderação é, por conseqüência, necessária. Isso significa que o traço distintivo não é o tipo de obrigação instituído pela estrutura condicional da norma, se absoluta ou relativa, que irá enquadrá-la numa ou noutra categoria de espécie normativa. É o modo como o intérprete justifica a aplicação dos significados preliminares dos dispositivos, se frontalmente finalistíco ou comportamental, que permite o enquadramento numa ou noutra espécie normativa.

Importa ressaltar, outrossim, que também não é coerente afirmar, como fazem Dworkin e Alexy, cada qual a seu modo, que, se a hipótese prevista por uma regra ocorrer no plano dos fatos, a conseqüência normativa deve ser diretamente implementada.[54] De um lado, há casos em que as regras podem ser aplicadas sem que suas condições sejam satisfeitas. É o caso da aplicação analógica de regras: nesses casos, as condições de aplicabilidade das regras não são implementadas, mas elas são, ainda assim, aplicadas, porque os casos não regulados assemelham-se aos casos previstos na hipótese normativa que justifica a aplicação da regra. E há casos em que as regras não são aplicadas ape-

53. Frederick Schauer, *Playing by the Rules...*, pp. 38 e ss.

54. Ronald Dworkin, *Takings Rights Seriously*, 6ª tir., p. 24; Robert Alexy, "Rechtssystem und praktische Vernunft", in *Recht, Vernunft, Diskurs*, pp. 216-217, e *Theorie der Grundrechte*, 2ª ed., p. 77.

sar de suas condições terem sido satisfeitas. É o caso de cancelamento da razão justificadora da regra por razões consideradas superiores pelo aplicador diante do caso concreto.[55] Isso significa, pois, que ora as condições de aplicabilidade da regra não são preenchidas, e a regra mesmo assim é aplicada; ora as condições de aplicabilidade da regra são preenchidas e a regra, ainda assim, não é aplicada. Rigorosamente, portanto, não é plausível sustentar que as regras são normas cuja aplicação é certa quando suas premissas são preenchidas.

Costuma-se afirmar também que as regras são ou não aplicadas, de modo integral, enquanto os princípios podem ser aplicados mais ou menos. Trata-se de proposição interessante, mas que pode ser aperfeiçoada. Com efeito, quando se sustenta que as regras são aplicadas integralmente focaliza-se o comportamento descrito como poder ser ou não cumprido; quando se defende que os princípios são aplicados *mais ou menos* centra-se a análise, em virtude da ausência de descrição da conduta devida, no estado de coisas que pode ser mais ou menos atingido. Isso significa, porém, que não são os princípios que são aplicados de forma gradual, *mais ou menos*, mas é o estado de coisas que pode ser mais ou menos aproximado, dependendo da conduta adotada como meio. Mesmo nessa hipótese, porém, o princípio é ou não aplicado: ou o comportamento necessário à realização ou preservação do estado de coisas é adotado, ou não é adotado. Por isso, defender que os princípios sejam aplicados de forma gradual é baralhar a norma com os aspectos exteriores, necessários à sua aplicação.

O ponto decisivo não é, portanto, o suposto caráter absoluto das obrigações estatuídas pelas regras, mas o modo como as razões que impõem a implementação das suas conseqüências podem ser validamente ultrapassadas; nem a falta de consideração a aspectos concretos e individuais pelas regras, mas o modo como essa consideração deverá ser validamente fundamentada – o que é algo diverso.

2.3.3 Critério do "conflito normativo"

2.3.3.1 Conteúdo

Segundo alguns autores os princípios poderiam ser distinguidos das regras pelo modo como funcionam em caso de *conflito normativo*, pois, para eles, a antinomia entre as regras consubstancia verdadeiro

55. Jaap. C. Hage, *Reasoning with Rules. An Essay on Legal Reasoning and its Underlying Logic*, pp. 5 e 118.

conflito, a ser solucionado com a declaração de invalidade de uma das regras ou com a criação de uma exceção, ao passo que o relacionamento entre os princípios consiste num imbricamento, a ser decidido mediante uma ponderação que atribui uma dimensão de peso a cada um deles.

Canaris, além de evidenciar o conteúdo axiológico dos princípios, distingue os princípios das regras em razão do modo de interação com outras normas: os princípios, ao contrário das regras, receberiam seu conteúdo de sentido somente por meio de um processo dialético de complementação e limitação.[56]

Dworkin sustenta que os princípios, ao contrário das regras, possuem uma dimensão de peso que se exterioriza na hipótese de colisão, caso em que o princípio com peso relativo maior se sobrepõe ao outro, sem que este perca sua validade.[57]

Alexy afirma que os princípios jurídicos consistem apenas em uma espécie de norma jurídica por meio da qual são estabelecidos deveres de otimização, aplicáveis em vários graus, segundo as possibilidades normativas e fáticas.[58] No caso de colisão entre os princípios a solução não se resolve com a determinação imediata de prevalência de um princípio sobre outro, mas é estabelecida em função da ponderação entre os princípios colidentes, em função da qual um deles, em determinadas circunstâncias concretas, recebe a prevalência.[59] Essa espécie de tensão e o modo como ela é resolvida é o que distingue os princípios das regras: enquanto no conflito entre regras é preciso verificar se a regra está dentro ou fora de determinada ordem jurídica, naquele entre princípios o conflito já se situa no interior dessa mesma ordem.[60]

2.3.3.2 Análise crítica

A análise do modo de *conflito normativo* também se constitui em um passo decisivo no aprimoramento do estudo das espécies normati-

56. *Systemdenken...*, pp. 50, 53 e 55.

57. *Taking Righs Seriously*, 6ª tir., p. 26.

58. "Zum Begriff des Rechtsprinzips", in *Argumentation und Hermeneutik in der Jurisprudenz, Rechtstheorie*, Beiheft 1/59 e ss.; *Recht, Verfunft, Diskurs*, p. 177; "Rechtsregeln und Rechtsprinzipien", in *Archives Rechts und Sozialphilosophie*, Beiheft 25/19 e ss.; "Rechtssystem und praktische Vernunft", in *Recht, Vernunft, Diskurs*, pp. 216-217; e *Theorie der Grundrechte*, 2ª ed., pp. 77 e ss.

59. Robert Alexy, "Rechtsregeln und Rechtsprinzipien", *Archives Rechts und Sozialphilosophie*, Beiheft 25/17.

60. Robert Alexy, "Rechtsregeln und Rechtsprinzipien", *Archives Rechts und Sozialphilosophie*, Beiheft 25/19, e "Zum Begriff des Rechtsprinzips", in *Argumentation und Hermeneutik in der Jurisprudenz, Rechtstheorie*, Beiheft 1/70.

vas. Apesar disso, é preciso aperfeiçoá-lo. Isso porque não é apropriado afirmar que a ponderação é método privativo de aplicação dos princípios, nem que os princípios *possuem* uma dimensão de peso.

Com efeito, a ponderação não é método privativo de aplicação dos princípios. A ponderação ou balanceamento (*weighing and balancing*, *Abwägung*), enquanto sopesamento de razões e contra-razões que culmina com a decisão de interpretação, também pode estar presente no caso de dispositivos hipoteticamente formulados, cuja aplicação é preliminarmente havida como automática (no caso de regras, consoante o critério aqui investigado), como se comprova mediante a análise de alguns exemplos.

Em primeiro lugar, a atividade de ponderação ocorre na hipótese de regras que abstratamente convivem, mas concretamente podem entrar em conflito. Costuma-se afirmar que quando duas regras entram em conflito, de duas, uma: ou se declara a invalidade de uma das regras, ou se abre uma exceção a uma das regras de modo a contornar a incompatibilidade entre elas. Em razão disso, sustenta-se que as regras entram em conflito no plano abstrato, e a solução desse conflito insere-se na problemática da validade das normas. Já quando dois princípios entram em conflito deve-se atribuir uma dimensão de peso maior a um deles. Por isso, assevera-se que os princípios entram em conflito no plano concreto, e a solução desse conflito insere-se na problemática da aplicação.

Embora tentador, e amplamente difundido, esse entendimento merece ser repensado. Isso porque em alguns casos as regras entram em conflito sem que percam sua validade, e a solução para o conflito depende da atribuição de peso maior a uma delas. Dois exemplos podem esclarecer.

Primeiro exemplo: uma regra do Código de Ética Médica determina que o médico deve dizer para seu paciente toda a verdade sobre sua doença, e outra estabelece que o médico deve utilizar todos os meios disponíveis para curar seu paciente. Mas como deliberar o que fazer no caso em que dizer a verdade ao paciente sobre sua doença irá diminuir as chances de cura, em razão do abalo emocional daí decorrente? O médico deve dizer ou omitir a verdade? Casos hipotéticos como esse não só demonstram que o conflito entre regras não é necessariamente estabelecido em nível abstrato, mas pode surgir no plano concreto, como ocorre normalmente com os princípios. Esses casos também indicam que a decisão envolve uma atividade de sopesamento entre razões.[61]

61. Aleksander Peczenik, *On Law and Reason*, p. 61.

Segundo exemplo: uma regra proíbe a concessão de liminar contra a Fazenda Pública que esgote o objeto litigioso (art. 1º da Lei 9.494/1997). Essa regra *proíbe* ao juiz determinar, por medida liminar, o fornecimento de remédios pelo sistema de saúde a quem deles necessitar para viver. Outra regra, porém, determina que o Estado deve fornecer, de forma gratuita, medicamentos excepcionais para pessoas que não puderem prover as despesas com os referidos medicamentos (art. 1º da Lei estadual 9.908/1993). Essa regra *obriga* a que o juiz determine, inclusive por medida liminar, o fornecimento de remédios pelo sistema de saúde a quem deles necessitar para viver.[62] Embora essas regras instituam comportamentos contraditórios, uma determinando o que a outra proíbe, elas ultrapassam o conflito abstrato *mantendo sua validade*. Não é absolutamente necessário declarar a nulidade de uma das regras, nem abrir uma exceção a uma delas. Não há a exigência de colocar uma regra dentro e outra fora do ordenamento jurídico. O que ocorre é um conflito concreto entre as regras, de tal sorte que o julgador deverá atribuir um peso maior a uma das duas, em razão da finalidade que cada uma delas visa a preservar: ou prevalece a finalidade de preservar a vida do cidadão, ou se sobrepõe a finalidade de garantir a intangibilidade da destinação já dada pelo Poder Público às suas receitas. Independentemente da solução a ser dada – cuja análise é ora impertinente –, trata-se de um conflito concreto entre regras, cuja solução, sobre não estar no nível da validade, e sim no plano da aplicação, depende de uma ponderação entre as finalidades que estão em jogo.

É preciso, pois, aperfeiçoar o entendimento de que o conflito entre regras é um conflito necessariamente abstrato, e que quando duas regras entram em conflito deve-se declarar a invalidade de uma delas ou abrir uma exceção. Trata-se de qualidade contingente; não necessária.

Em segundo lugar, as regras também podem ter seu conteúdo preliminar de sentido superado por razões contrárias, mediante um processo de ponderação de razões.[63] Ademais, isso ocorre nas hipóteses de relação entre a regra e suas exceções. A exceção pode estar prevista no próprio ordenamento jurídico, hipótese em que o aplicador deverá, mediante ponderação de razões, decidir se há mais razões para a apli-

62. Sobre a questão, v. o magistral voto do Des. Araken de Assis, relator do AI 598.398.600 na 4ª Câmara Cível do Tribunal de Justiça do Estado do Rio Grande do Sul (j. 25.11.1998, in *Jurisprudência Administrativa, Síntese Trabalhista* 121/115-119, Porto Alegre, Síntese, julho/1999).

63. Frederick Schauer, *Playing by the Rules....*, p. 14.

cação da hipótese normativa da regra ou, ao contrário, para a de sua exceção. Por exemplo, a legislação de um Município, ao instituir regras de trânsito, estabelece que a velocidade máxima no perímetro urbano é de 60 km/h. Se algum veículo for fotografado, por mecanismos de medição eletrônica, trafegando acima dessa velocidade, será obrigado a pagar uma multa. A mencionada norma, dentro da tipologia aqui analisada, seria uma regra, e, como tal, instituidora de uma obrigação absoluta que independe de ponderação de razões a favor e contra sua utilização: se o veículo ultrapassar a velocidade-limite e se a regra for válida, a penalidade deve ser imposta. Mesmo assim, o Departamento de Trânsito pode deixar de impor a multa para os motoristas, especialmente de táxi, que comprovem, mediante a apresentação de boletim de ocorrência, que no momento da infração estavam acima da velocidade permitida porque conduziam passageiro gravemente ferido para o hospital. Nesse caso, embora tenha sido concretizada a hipótese normativa, o aplicador recorre a outras razões, baseadas em outras normas, para justificar o descumprimento daquela regra (*overruling*). As outras razões, consideradas superiores à própria razão para cumprir a regra, constituem fundamento para seu não-cumprimento. Isso significa, para o que se está agora a examinar, que o modo de aplicação da regra, portanto, não está totalmente condicionado pela descrição do comportamento, mas que depende do sopesamento de circunstâncias e de argumentos.

E a exceção pode não estar prevista no ordenamento jurídico, situação em que o aplicador avaliará a importância das razões contrárias à aplicação da regra, sopesando os argumentos favoráveis e os argumentos contrários à criação de uma exceção diante do caso concreto. O caso do estupro, antes referido, exemplifica esse sopesamento. O importante é que o processo mediante o qual as *exceções* são constituídas também é um processo de valoração de razões: em função da existência de uma razão contrária que supera axiologicamente a razão que fundamenta a própria regra, decide-se criar uma exceção. Trata-se do mesmo processo de valoração de argumentos e contra-argumentos – isto é, de ponderação.

Contrariamente a esse entendimento, poder-se-ia afirmar que a relação entre as regras e suas exceções expressas não se identifica com aquela que se estabelece entre os princípios que se imbricam. E isso por duas razões: em primeiro lugar porque as regras seriam interpretadas; e os princípios ponderados: enquanto a relação entre a regra e suas exceções já estaria decidida pelo ordenamento, cabendo ao aplicador interpretá-la, a solução de uma colisão entre os princípios não estaria previamente definida, cabendo ao aplicador, mediante ponderação de razões, construir as regras de colisão diante do caso concreto; e em segundo lugar porque a relação entre a regra e a exceção não consistiria um conflito, já que somente uma delas seria aplicada – a regra ou a exceção –, ao passo que a relação entre dois princípios consubstanciaria autêntico conflito, na medida em que ambos seriam aplicados, embora um deles recebesse mais peso que o outro.

Tais razões não são convincentes. A uma, porque não se pode estremar a interpretação da ponderação. Com efeito, a decisão a respeito da incidência das regras depende da avaliação das razões que sustentam e daquelas que afastam a inclusão do conceito do fato no conceito previsto na regra. Se, ao final, pode-se afirmar que a decisão é de mera subsunção de conceitos, não se pode negar que o processo mediante o qual esses conceitos foram preparados para o encaixe final é da ordem da ponderação de razões. A duas, porque não é consistente a afirmação de que no caso das regras e de suas exceções há aplicação de uma só norma, e no caso de imbricamento de princípios há a aplicação de ambas. Ora, quando o aplicador atribui uma dimensão de peso maior a um dos princípios, ele se decide pela existência de razões maiores para a aplicação de um princípio em detrimento do outro, que, então, pode deixar de irradiar efeitos sobre o caso objeto da decisão. O mesmo ocorre no caso da exceção à regra: o aplicador decide haver maiores razões para a aplicação da exceção em detrimento da regra. Isso indica que, no caso de conflito entre princípios, o princípio ao qual se atribui um peso menor pode deixar, na verdade, de ser aplicado, do mesmo modo que na relação entre a regra e a exceção, uma vez que a regra ou a exceção não será aplicada. Modos de explicação à parte, o que interessa é que, tanto num quanto noutro caso, há sopesamento de razões e de contra-razões.

O que se pode afirmar é algo diverso. O relacionamento entre regras gerais e excepcionais e entre princípios que se imbricam não difere quanto à existência de ponderação de razões, mas – isto, sim – quanto à intensidade da contribuição institucional do aplicador na determinação concreta dessa relação e quanto ao modo de ponderação: no caso da relação entre regras gerais e regras excepcionais o aplicador – porque as hipóteses normativas estão entremostradas pelo significado preliminar do dispositivo, em razão do elemento descritivo das regras – possui menor e diferente âmbito de apreciação, já que deve delimitar o conteúdo normativo da hipótese se e enquanto esse for compatível com a finalidade que a sustenta; no caso do imbricamento entre princípios o aplicador – porque, em vez de descrição, há o estabelecimento de um estado de coisas a ser buscado – possui maior espaço de apreciação, na medida em que deve delimitar o comportamento necessário à realização ou preservação do estado de coisas.

Além disso, importa ressaltar que a relação entre regras e entre princípios não se dá de uma só forma. Na hipótese de relação entre princípios, quando dois princípios determinam a realização de fins divergentes, deve-se escolher um deles em detrimento do outro, para a solução do caso. E, mesmo que ambos os princípios estabeleçam os mesmos fins como devidos, nada obsta a que demandem meios diversos para atingi-los. Nessa hipótese deve-se declarar a prioridade de um princípio sobre o outro, com a conseqüente não-aplicação de um deles para aquele caso concreto. A solução é idêntica à dada para o conflito entre regras com determinação de uma exceção, hipótese em que as duas normas ultrapassam o conflito, mantendo sua validade.

Na hipótese de relação entre regras, mesmo que o aplicador decida que uma das regras é inaplicável ao caso concreto, isso não significa que ela em nada contribui para a decisão.[64] Mesmo deixando de ser aplicada, uma regra pode funcionar como contraponto valorativo para a interpretação da própria regra aplicável, hipótese em que, longe de em nada contribuir para a decisão, a regra não aplicada concorre para a construção – mediante procedimento de aproximação e afastamento – do significado da regra aplicada.

Em terceiro lugar, a atividade de ponderação de regras verifica-se na delimitação de hipóteses normativas semanticamente abertas ou de conceitos jurídico-políticos, como *Estado de Direito*, *certeza do Direito*, *democracia*. Nesses casos o intérprete terá de examinar várias razões contra e a favor da incidência da regra, ou investigar um plexo de razões para decidir quais elementos constituem os conceitos jurídicos-políticos.[65] Como os dispositivos hipoteticamente construídos são resultado de generalizações feitas pelo legislador, mesmo a mais precisa formulação é potencialmente imprecisa, na medida em que podem surgir situações inicialmente não previstas.[66] Nessa hipótese, o aplicador deve analisar a finalidade da regra, e somente a partir de uma pondera-

64. Cf. Ronald Dworkin, *Takings Rights Seriously*, 6ª tir., p. 24.

65. Aleksander Peczenik, *On Law and Reason*, pp. 63, 80, 412 e 420, e "The passion for reason", in *The Law in Philosophical Perspectives*, p. 183.

66. Frederick Schauer, *Playing by the Rules....*, p. 35.

ção de todas as circunstâncias do caso pode decidir que elemento de fato tem prioridade para definir a finalidade normativa.[67]

É precisamente em decorrência das generalizações que alguns casos deixam de ser mencionados (*under inclusiveness*) e outros são malincluídos (*over inclusiveness*). A proibição de entrada de cães em restaurantes deve-se ao fato de que os cidadãos normalmente possuem cães e que eles, via de regra, causam mal-estar aos clientes. Qualquer cão está proibido de entrar. E se for um filhote recém-nascido, enrolado numa manta nos braços da dona? Um cão empalhado? Um cão utilizado pela Polícia para encontrar drogas ou um suspeito do tráfico de drogas? Nesses casos, o aplicador, em vez de meramente focalizar o conceito de "cão", deverá avaliar a razão justificativa da regra para decidir pela sua incidência. Sendo a razão justificativa da regra que proíbe a entrada de cães a proteção do sossego e da segurança dos clientes, poderá decidir a respeito da aplicação da regra aos casos mencionados. Mas sendo possível passar da hipótese da regra à sua razão justificativa, abre-se ao aplicador a possibilidade de proibir a entrada de pessoas que terminem com o sossego dos clientes, como bebês chorando, ou permitir a entrada de animais que não coloquem em risco a segurança dos clientes, como um filhote de urso, ou mesmo cães mansos ou anestesiados.[68]

O que importa é que a questão crucial, ao invés de ser a definição dos elementos descritos pela hipótese normativa, é saber quais os casos em que o aplicador pode recorrer à razão justificativa da regra (*rule's purpose*), de modo a entender os elementos constantes da hipótese como meros indicadores para a decisão a ser tomada, e quais os casos em que ele deve manter-se fiel aos elementos descritos na hipótese normativa, de maneira a compreendê-los como sendo a própria razão para a tomada de decisão, independentemente da existência de razões contrárias. Ora, essa decisão depende da ponderação entre as razões que justificam a obediência incondicional à regra, como razões ligadas à segurança jurídica e à previsibilidade do Direito, e as razões que justificam seu abandono em favor da investigação dos fundamentos mais ou menos distantes da própria regra. Essa decisão – eis a questão – depende de uma ponderação. Somente mediante a ponderação de razões pode-se decidir se o aplicador deve abandonar os elementos da

67. Aleksander Peczenik, "The passion for reason", in *The Law in Philosophical Perspectives*, p. 181.

68. Frederick Schauer, *Playing by the Rules....*, pp. 47 e 59.

hipótese de incidência da regra em busca do seu fundamento, nos casos em que existe uma discrepância entre eles.[69]

Em quarto lugar, a atividade de ponderação de regras verifica-se na decisão a respeito da aplicabilidade de um precedente judicial ao caso objeto de exame. Como afirma Summers, os precedentes não são autodefiníveis (*self-defining*) nem auto-aplicáveis (*self-applying*).[70] Isso significa que o afastamento de uma nova decisão dos precedentes já consolidados depende de uma ponderação de razões.

Em quinto lugar, a atividade de ponderação de regras verifica-se na utilização de formas argumentativas como *analogia* e *argumentum e contrario*, cada qual suportada por um conjunto diferente de razões que devem ser sopesadas.[71]

Todas essas considerações demonstram que a atividade de ponderação de razões não é privativa da aplicação dos princípios, mas é qualidade geral de qualquer aplicação de normas.[72] Não é correto, pois, afirmar que os princípios, em contraposição às regras, são carecedores de ponderação (*abwägungsbedürftig*). A ponderação diz respeito tanto aos princípios quanto às regras, na medida em que qualquer norma possui um caráter provisório que poderá ser ultrapassado por razões havidas como mais relevantes pelo aplicador diante do caso concreto.[73] O tipo de ponderação é que é diverso.

Também não é coerente afirmar que *somente* os princípios *possuem* uma dimensão de peso. Em primeiro lugar, há incorreção quando se enfatiza que *somente* os princípios possuem uma dimensão de peso. Como demonstram os exemplos antes trazidos, a aplicação das regras exige o sopesamento de razões, cuja importância será atribuída (ou coerentemente intensificada) pelo aplicador. A dimensão axiológica não é privativa dos princípios, mas elemento integrante de qualquer norma jurídica, como comprovam os métodos de aplicação que relacionam, ampliam ou restringem o sentido das regras em função dos valores e

69. Frederick Schauer, *Playing by the Rules....*, pp. 94 e ss.

70. Robert Summers, "Two types of substantive reasons:...", *The Jurisprudence of Law's Form and Substance (Collected Essays in Law)*, pp. 155-236 (231); Robert Alexy, "Rechtsregeln und Rechtsprinzipien", *Archives Rechts und Sozialphilosophie*, Beiheft 25/28.

71. Aleksander Peczenik, "The passion for reason", in *The Law in Philosophical Perspectives*, p. 181.

72. Aleksander Peczenik, *On Law and Reason*, p. 80.

73. Idem, p. 81.

fins que elas visam a resguardar. As interpretações, extensiva e restritiva, são exemplos disso.[74]

Em segundo lugar, há incorreção quando se enfatiza que os princípios *possuem* uma dimensão de peso. A dimensão de peso não é algo que já esteja *incorporado* a um tipo de norma. As normas não regulam sua própria aplicação. Não são, pois, os princípios que possuem uma *dimensão de peso*: às razões e aos fins aos quais eles fazem referência é que deve ser *atribuída* uma dimensão de importância. A maioria dos princípios nada diz sobre o peso das razões. É a decisão que atribui aos princípios um peso em função das circunstâncias do caso concreto. A citada *dimensão de peso* (*dimension of weight*) não é, então, atributo abstrato dos princípios, mas qualidade das razões e dos fins a que eles fazem referência, cuja importância concreta é atribuída pelo aplicador. Vale dizer, a dimensão de peso não é um atributo empírico dos princípios, justificador de uma diferença lógica relativamente às regras, mas *resultado de juízo valorativo do aplicador*.[75]

Dois exemplos talvez possam demonstrar que é o aplicador, diante do caso a ser examinado, que atribui uma dimensão de peso a determinados elementos, em detrimento de outros. O Supremo Tribunal Federal analisou hipótese em que o Poder Executivo, depois de prometer, por decreto, baixar a alíquota do imposto de importação, decidiu, simplesmente, majorá-la. Os contribuintes que haviam contratado, com base na promessa de redução da alíquota, insurgiram-se contra o desembaraço das mercadorias com a aplicação da alíquota majorada, sob o fundamento de que teria sido violado o princípio da segurança jurídica. A questão posta perante do Tribunal poderia ser resolvida de dois modos: primeiro, com a atribuição de maior importância ao princípio da segurança jurídica, para garantir a confiança do cidadão nos atos do Poder Público e, por conseqüência, vedar a aplicação de alíquotas mais gravosas para aqueles contribuintes que haviam celebrado contratos na expectativa de que a promessa fosse cumprida; segundo, com a atribuição de importância apenas ao fato gerador do imposto de importação, que ocorre no momento do desembaraço da mercadoria, em razão do quê, tendo sido a alíquota, dentro das atribuições do Poder Executivo, majorada antes da data da ocorrência do fato gerador, não teria havido qualquer violação ao ato jurídico perfeito. O Tribunal adotou a segun-

74. Klaus Günther, *Der Sinn für Angemessenheit....*, p. 272; Claus-Wilhelm Canaris, *Die Feststellung von Lücken im Gesetz*, 1982.

75. Jaap. C. Hage, *Reasoning with Rules....*, p. 116.

da hipótese de solução.[76] Mas o que isso significa para a questão ora discutida? Significa que a dimensão de peso desse ou daquele elemento não está previamente decidida pela estrutura normativa, mas é atribuída pelo aplicador diante do caso concreto. Fosse a dimensão de peso um atributo empírico dos princípios, o caso ora examinado deveria ter sido necessariamente solucionado com base no princípio da segurança jurídica e na garantia de proteção ao ato jurídico perfeito – e não foi. Isso porque não são as normas jurídicas que determinam, em absoluto, quais são os elementos que deverão ser privilegiados em detrimento de outros, mas os aplicadores, diante do caso concreto.

O Supremo Tribunal Federal analisou o caso de lei tributária, que, segundo a norma constitucional, deveria ter sido publicada até o final do exercício, mas cujo *Diário Oficial* que a continha foi posto à disposição do público na noite do dia 31 de dezembro, tendo a remessa dos exemplares aos assinantes só se efetivado no dia 2 de janeiro. Os contribuintes insurgiram-se contra a medida, alegando violação ao chamado princípio da anterioridade, em virtude de a norma constitucional exigir a publicação da lei até o final do exercício como forma de garantir a previsibilidade dos atos estatais. À primeira vista, o caso deveria ser decidido com a atribuição de importância ao princípio da anterioridade, nos seus dois aspectos: garantia de previsibilidade e exigência de publicação da nova lei antes do final do exercício. O Tribunal, no entanto, em vez de focalizar o valor *previsibilidade* ou, mesmo, a exigência de publicação da nova lei antes do final do exercício, laborou uma dissociação, inexistente no conteúdo preliminar de significado do dispositivo em análise, entre *publicação* e *distribuição*. Entendeu que o fato de não haver *circulado* antes do final do exercício não impedia – eis o paradoxo – o conhecimento do conteúdo da lei, em virtude de o *Diário Oficial* estar à disposição do contribuinte já antes do final do exercício.[77] Mas o que isso significa para a questão ora discutida? Significa, repetindo, que a dimensão de peso desse ou daquele elemento não está previamente decidida pela estrutura normativa, mas é atribuída pelo aplicador diante do caso concreto. Fosse a dimensão de peso um atributo empírico dos princípios, o caso ora examinado deveria ter sido necessariamente solucionado com base no que a doutrina chama de *princípio da anterioridade* ou com base na regra segundo a qual a

76. 1ª Turma, RE 216.541-7, rel. Min. Sepúlveda Pertence, *DJU* 15.5.1998.

77. 1ª Turma, AgRg no AgPet 282.522, rel. Min. Moreira Alves, *DJU* 31.8.2001.

publicação da nova lei deve ser feita antes do final do exercício em que o tributo passa a ser exigido. Isso, no entanto, não ocorreu. De novo: não são as normas jurídicas que determinam, em absoluto, quais são os elementos que deverão ser privilegiados em detrimento de outros, mas os aplicadores, diante do caso concreto.

Enfim, os exemplos aqui mencionados demonstram que o mero qualificativo de *princípio* pela doutrina ou pela jurisprudência não implica uma consideração de peso no sentido da compreensão de determinada prescrição como valor a ser objeto de ponderação com outros. O Poder Judiciário pode desprezar os limites textuais ou restringir o sentido usual de um dispositivo. Pode fazer dissociações de significado até então desconhecidas. A conexão entre a norma e o valor que preliminarmente lhe é sobrejacente não depende da norma enquanto tal ou de características diretamente encontráveis no dispositivo a partir do qual ela é construída, como estrutura hipotética. Essa conexão depende tanto das razões utilizadas pelo aplicador em relação à norma que aplica, quanto das circunstâncias avaliadas no próprio processo de aplicação. Enfim, a dimensão de peso não é relativa à norma, mas relativa ao aplicador e ao caso. Além disso, a atribuição de peso depende do *ponto de vista* escolhido pelo observador, podendo, em função dos fatos e da perspectiva com que se os analisa, uma norma ter maior ou menor peso, ou mesmo peso nenhum para a decisão. Como acertadamente afirma Hage, *weight is case-related*.[78] A consideração ou não de circunstâncias específicas não está predeterminada pela estrutura da norma, mas *depende do uso* que dela se faz.[79]

Relacionada à caracterização dos princípios em razão da sua dimensão de peso está sua definição como deveres de otimização. Eles seriam considerados dessa maneira porque seu conteúdo deve ser aplicado *na máxima medida*.[80] Mas nem sempre é assim. Para demonstrá-lo é preciso verificar quais as espécies de colisão existentes entre os princípios. Eles não se relacionam de uma só maneira. Os princípios estipulam fins a serem perseguidos, sem determinar, de antemão, quais os meios a serem escolhidos. No caso de entrecruzamento entre dois princípios, várias hipóteses podem ocorrer.

A primeira delas diz respeito ao fato de que a realização do fim instituído por um princípio sempre leve à realização do fim estipulado

78. *Reasoning with Rules....*, pp. 34 e 116.

79. Klaus Günther, *Der Sinn für Angemessenheit....*, p. 273.

80. Robert Alexy, "Rechtsregeln und Rechtsprinzipien", *Archives Rechts und Sozialphilosophie*, Beiheft 25/19: "möglichst hohen Masse realisiert wird".

pelo outro. Isso ocorre no caso de princípios interdependentes. Por exemplo, o princípio da segurança jurídica estabelece a estabilidade como estado ideal de coisas a ser promovido, e o princípio do Estado de Direito também alça a estabilidade como fim a ser perseguido. Nessa hipótese não há limitação recíproca entre princípios, mas reforço entre eles. Mas, quando a realização do fim instituído por um princípio sempre levar à realização do fim estipulado por outro, não há o dever de realização *na máxima medida*, mas o de realização estritamente necessária à implementação do fim instituído pelo outro princípio, vale dizer, *na medida necessária.*

A segunda hipótese versa sobre a possibilidade de que a realização do fim instituído por um princípio exclua a realização do fim estipulado pelo outro. Isso ocorre no caso de princípios que apontam para finalidades alternativamente excludentes. Por exemplo, enquanto o princípio da liberdade de informação permite a publicação de notícias a respeito das pessoas, o princípio da proteção da esfera privada proíbe a publicação de matérias que digam respeito à intimidade das pessoas. Isso significa que, quando a realização do fim instituído por um princípio excluir a realização do fim estipulado pelo outro, não se verificam as citadas limitação e complementação recíproca de sentido. Os dois devem ser aplicados na integralidade de seu sentido. A colisão, entretanto, só pode ser solucionada com a rejeição de um deles.[81] Essa situação é semelhante, portanto, ao caso de colisão entre regras.

A terceira hipótese concerne ao fato de que a realização do fim instituído por um princípio leve apenas à realização de parte do fim estipulado pelo outro. Isso ocorre no caso de princípios parcialmente imbricados. Nesse caso ocorrem limitação e complementação recíprocas de sentido na parte objeto de imbricamento.

E a quarta hipótese refere-se à possibilidade de que a realização do fim instituído por um princípio não interfira na realização do fim estipulado pelo outro.[82] Essa hipótese se verifica no caso de princípios que determinam a promoção de fins indiferentes entre si.

Essas ponderações têm por finalidade demonstrar que a diferença entre princípios e regras não está no fato de que as regras devam ser aplicadas *no todo* e os princípios só na *medida máxima*. Ambas as espécies de normas devem ser aplicadas de tal modo que seu conteúdo

81. Ulrich Pensky, "Rechtsgrunsätze und Rechtsregeln", *Juristen Zeitung* 3/109.

82. Idem, ibidem.

de dever-ser seja realizado totalmente. Tanto as regras quanto os princípios possuem o mesmo conteúdo de dever-ser.[83] A única distinção é quanto à determinação da prescrição de conduta que resulta da sua interpretação: os princípios não determinam diretamente (por isso *prima-facie*) a conduta a ser seguida, apenas estabelecem fins normativamente relevantes, cuja concretização depende mais intensamente de um ato institucional de aplicação que deverá encontrar o comportamento necessário à promoção do fim; as regras dependem de modo menos intenso de um ato institucional de aplicação nos casos normais, pois o comportamento já está previsto frontalmente pela norma.

É preciso, ainda, lembrar que os princípios, eles próprios, não são mandados de otimização. Com efeito, como lembra Aarnio, o mandado consiste numa proposição normativa sobre os princípios, e, como tal, atua como uma regra (norma hipotético-condicional): será ou não cumprido. Um mandado de otimização não pode ser aplicado *mais ou menos*. Ou se otimiza, ou não se otimiza. O mandado de otimização diz respeito, portanto, ao uso de um princípio: o conteúdo de um princípio deve ser otimizado no procedimento de ponderação.[84] O próprio Alexy passou a aceitar a distinção entre comandos para otimizar e comandos para serem otimizados.[85]

O ponto decisivo não é, portanto, a falta de ponderação na aplicação das regras, mas o tipo de ponderação que é feita e o modo como ela deverá ser validamente fundamentada – o que é algo diverso.

Após examinar, criticamente, as concepções dominantes acerca da definição de princípios, pode-se, com base em outros elementos, propor uma definição. É o que se passa a fazer.

2.4 Proposta de dissociação entre princípios e regras

2.4.1 Fundamentos

2.4.1.1 Dissociação justificante

Os princípios remetem o intérprete a valores e a diferentes modos de promover resultados. Costuma-se afirmar que os valores dependem

83. Idem, p. 110.

84. Aulis Aarnio, *Reason and Authority...*, p. 181.

85. "My philosophy of law: the institutionalization of reason", in *The Law in Philosophical Perspectives*, p. 39, e "On the structure of legal principles", *Ratio Juris* 13/300.

de uma avaliação eminentemente subjetiva. Envolvem um problema de *gosto* (*matter of taste*). Alguns sujeitos aceitam um valor que outros rejeitam. Uns qualificam como prioritário um valor que outros reputam supérfluo. Enfim, os valores, porque dependem de apreciação subjetiva, seriam ateoréticos, sem valor de verdade, sem significação objetiva. Como complementa Georg Henrik von Wright, o entendimento de que os valores dependem de apreciação subjetiva deve ser levado a sério.[86] Mas disso – e aqui começa nosso trabalho – não decorrem nem a impossibilidade de encontrar comportamentos que sejam obrigatórios em decorrência da positivação de valores, nem a incapacidade de distinguir entre a aplicação racional e a utilização irracional desses valores.

Sobre essa questão, vem à tona o modo como os princípios são investigados. E, nessa matéria, é fácil encontrar dois modos opostos de investigação dos princípios jurídicos. De um lado, podem-se analisar os princípios de modo a exaltar os valores por eles protegidos, sem, no entanto, examinar quais são os comportamentos indispensáveis à realização desses valores e quais são os instrumentos metódicos essenciais à fundamentação controlável da sua aplicação. Nessa hipótese privilegia-se a proclamação da importância dos princípios, qualificando-os como alicerces ou pilares do ordenamento jurídico. Mais do que isso, pouco.

De outro lado, pode-se investigar os princípios de maneira a privilegiar o exame da sua estrutura, especialmente para nela encontrar um procedimento racional de fundamentação que permita tanto especificar as condutas necessárias à realização dos valores por eles prestigiados quanto justificar e controlar sua aplicação mediante reconstrução racional dos enunciados doutrinários e das decisões judiciais. Nessa hipótese prioriza-se o caráter justificativo dos princípios e seu uso racionalmente controlado. A questão crucial deixa de ser a verificação dos valores em jogo, para se constituir na legitimação de critérios que permitam aplicar racionalmente esses mesmos valores.[87] Esse é, precisamente, o caminho perseguido por este estudo.

2.4.1.2 Dissociação abstrata

A distinção entre categorias normativas, especialmente entre princípios e regras, tem duas finalidades fundamentais. Em primeiro lugar,

86. "Sein und Sollen", in *Normen, Werte und Handlungen*, p. 36.
87. Aulis Aarnio, *Denkweisen der Rechtswissenschaft*, p. 158.

visa a *antecipar* características das espécies normativas de modo que o intérprete ou o aplicador, encontrando-as, possa ter facilitado seu processo de interpretação e aplicação do Direito. Em conseqüência disso, a referida distinção busca, em segundo lugar, *aliviar*, estruturando-o, o ônus de argumentação do aplicador do Direito, na medida em que a uma qualificação das espécies normativas permite minorar – eliminar, jamais – a necessidade de fundamentação, pelo menos indicando o que deve ser justificado.[88]

Claro está que qualquer classificação das espécies normativas será inadequada se não fornecer critérios minimamente seguros de antecipação das características normativas, nem minorar a sobrecarga argumentativa que pesa sobre o aplicador.

Uma análise mais atenta das referidas distinções entre princípios e regras demonstra que os critérios utilizados pela doutrina muitas vezes manipulam, para a interpretação abstrata das normas, elementos que só podem ser avaliados no plano concreto de aplicação das normas. Ao fazê-lo, elegem critérios abstratos de distinção que, no entanto, podem não ser – e com freqüência não o são – confirmados na aplicação concreta. Com isso, a classificação, em vez de auxiliar na aplicação do Direito, termina por obstruí-la. Em vez de aliviar o ônus de argumentação do aplicador do Direito, elimina-o.

É preciso, por conseguinte, distinguir o plano preliminar de análise abstrata das normas, comumente chamado de plano *prima facie* de significação, do plano conclusivo de análise concreta das normas, comumente denominado de nível *all things considered* de significação. Essa distinção ajuda a verificar por que alguns critérios são importantes para o primeiro plano mas inadequados para o segundo, ou vice-versa.

O critério do caráter *hipotético-condicional* é inconsistente tanto no plano preliminar quanto no plano conclusivo. No plano preliminar esse critério é inadequado porque qualquer dispositivo, ainda que não formulado hipoteticamente pelo legislador, pode ser *reformulado* de maneira a possuir uma hipótese e uma conseqüência. No plano conclusivo esse critério é inadequado porque, frente às circunstâncias do caso concreto, o aplicador deve especificar todos os aspectos necessários à aplicação de determinada norma, preparando elementos para formar uma premissa maior, uma premissa menor e uma conseqüência. Vale dizer, diante das circunstâncias do caso concreto, qualquer norma ter-

88. Sobre a "função de descarga" (*Entlastungsfunktion*) da Dogmática, v. Robert Alexy, *Theorie der juristischen Argumentation*, 2ª ed., p. 329.

mina por assumir uma formulação hipotética. Toda norma seria uma regra.

O critério do *modo de aplicação*, evidentemente, só tem sentido no plano conclusivo de significação. Ocorre que, se a distinção entre princípios e regras visa a facilitar a aplicação das normas por meio da antecipação de qualidades normativas e da descarga argumentativa, esse critério revela-se inconsistente, pois só pode ser verificado depois da aplicação, e não antes. Sendo assim, esse critério só teria cabimento se permitisse que o aplicador já pudesse antecipar, com segurança, o modo de aplicação de uma norma pela análise de sua estrutura. Segundo a doutrina, essa estrutura é uma estrutura hipotética. E, diante de uma norma com estrutura hipotética, o aplicador deveria implementar diretamente a conseqüência normativa. Isso, porém, não pode ser garantido antes da análise de todas as circunstâncias do caso concreto, pois, como já foi visto, pode haver razões justificativas não previstas abstratamente que superem as razões para a aplicação da regra. Isso comprova o círculo vicioso do critério do *modo de aplicação*: pretende demonstrar *antecipadamente* aquilo que só *finalmente* pode ser demonstrado.[89]

O critério do *conflito normativo* é inconsistente tanto no plano preliminar quanto no plano conclusivo. No plano preliminar é correto afirmar que duas regras, enquanto normas com estrutura hipotética, quando entram em conflito, exigem a declaração de invalidade de uma das regras. Os princípios, enquanto normas que estabelecem ideais a serem atingidos, não entram em conflito direto. Abstratamente, apenas se entrelaçam. Nesse ponto, é correto afirmar que as regras diferenciam-se dos princípios. Enquanto uma *incompatibilidade lógica total* entre regras pode ser concebida analiticamente e em abstrato, sem a análise das particularidades do caso concreto, uma incompatibilidade abstrata total entre princípios é inconcebível.[90]

Nesse sentido, o critério do *conflito normativo* é importante, mas com temperamentos. É que não se pode categoricamente afirmar que os princípios só entram em conflito no plano concreto; e as regras, no plano abstrato.

De um lado, há conflito abstrato entre princípios, embora seja ele apenas parcial. Mesmo no plano abstrato pode-se encontrar um âmbito afastado, à primeira vista, da aplicação de um princípio pela análise

89. Matthias Jestaedt, *Grundrechtsentfaltung im Gesetz*, p. 231.

90. Aleksander Peczenik, *On Law and Reason*, p. 82.

simultânea de outro(s) princípio(s). O exame da relação entre o princípio da liberdade de expressão e o princípio da proteção da esfera privada revela, mesmo em nível abstrato, que a liberdade de expressão não pode comprometer excessivamente a vida íntima do cidadão. É concebível, inclusive, pré-selecionar hipóteses de conflito.

De outro lado, há regras que abstratamente convivem, mas que somente no plano concreto entram em conflito. No caso já examinado do médico, os deveres de dizer a verdade e de adotar todos os meios para curar seu paciente convivem harmonicamente em abstrato, embora possam entrar em conflito diante de um caso concreto, quando, por exemplo, dizer a verdade pode piorar o estado de saúde do paciente.

Resta saber qual a definição de princípios e regras que abrange essa distinção abstrata entre as categorias normativas no que se refere à incompatibilidade lógica total em nível abstrato.

O critério do fundamento axiológico serve para ambos os níveis de análise. O fundamento axiológico é importante tanto no plano preliminar como no plano conclusivo, embora seja inadequado ao atribuir o valor primordial à norma, e não às razões utilizadas pelo aplicador, a partir dela.

Uma classificação não pode, a pretexto de definir espécies normativas em nível preliminar, utilizar-se de elementos que dependem da consideração de todas as circunstâncias. Isso significa, por conseguinte, que os critérios do *modo final de aplicação* e do *conflito normativo* são inadequados para uma classificação abstrata, na medida em que dependem de elementos que só com a consideração de todas as circunstâncias podem ser corroborados.

Sua utilização como critérios de classificação das espécies normativas, ao invés de servir de modelo para facilitar a aplicação, pode funcionar como obstáculo à própria construção de sentido das normas, especialmente das chamadas *regras*, quer porque podem excluir a consideração de razões substanciais justificativas de decisões fora do conteúdo preliminar de sentido dos dispositivos, quer porque podem limitar a construção de conexões axiológicas entremostradas entre os elementos do sistema normativo.

Embora normalmente as regras possuam hipótese de incidência, sejam aplicadas automaticamente e entrem em conflito direto com outras regras, essas características, em vez de necessárias e suficientes para a sua qualificação como regras, são meramente contingentes. Se assim é, outra proposta de classificação deve ser adotada, como se passa a sustentar.

2.4.1.3 Dissociação heurística

A proposta aqui defendida pode ser qualificada como *heurística*. Como já foi examinado, as normas são construídas pelo intérprete a partir dos dispositivos e do seu significado usual. Essa qualificação normativa depende de conexões axiológicas que não estão incorporadas ao texto nem a ele pertencem, mas são, antes, construídas pelo próprio intérprete. Por isso a distinção entre princípios e regras deixa de se constituir em uma distinção quer com valor empírico, sustentado pelo próprio objeto da interpretação, quer com valor conclusivo, não permitindo antecipar por completo a significação normativa e seu modo de obtenção. Em vez disso, ela se transforma numa distinção que privilegia o valor heurístico, na medida em que funciona como *modelo* ou *hipótese provisória* de trabalho para uma posterior reconstrução de conteúdos normativos, sem, no entanto, assegurar qualquer procedimento estritamente dedutivo de fundamentação ou de decisão a respeito desses conteúdos.[91]

2.4.1.4 Dissociação em alternativas inclusivas

A proposta aqui defendida diferencia-se das demais porque admite a coexistência das espécies normativas em razão de um mesmo dispositivo. Um ou mais dispositivos podem funcionar como ponto de referência para a construção de regras, princípios e postulados. Ao invés de *alternativas exclusivas* entre as espécies normativas, de modo que a existência de uma espécie excluiria a existência das demais, propõe-se uma classificação que alberga *alternativas inclusivas*, no sentido de que os dispositivos podem gerar, simultaneamente, mais de uma espécie normativa. Um ou vários dispositivos, ou mesmo a implicação lógica deles decorrente, pode experimentar uma *dimensão* imediatamente comportamental (regra), finalística (princípio) e/ou metódica (postulado).

Examine-se o dispositivo constitucional segundo o qual é exigida lei em sentido formal para a instituição ou aumento de tributos. É plausível examiná-lo como regra, como princípio e como postulado. Como *regra*, porque condiciona a validade da criação ou aumento de tributos à observância de um procedimento determinado que culmine com a

91. Sobre o significado de valor heurístico: H. Schepers, "Heuristik", in *Historisches Wörterbuch der Philosophie*, v. 3. p. 1.119; Jaap. C. Hage, *Reasoning with Rules...*, p. 121; Tércio Ferraz Júnior, *Função Social da Dogmática Jurídica*, p. 123.

aprovação de uma fonte normativa específica – a lei. Como *princípio*, porque estabelece como devida a realização dos valores de liberdade e de segurança jurídica. E como *postulado*, porque vincula a interpretação e a aplicação à lei e ao Direito, preexcluindo a utilização de parâmetros alheios ao ordenamento jurídico.

Analise-se o dispositivo constitucional segundo o qual todos devem ser tratados igualmente. É plausível aplicá-lo como regra, como princípio e como postulado. Como *regra*, porque proíbe a criação ou aumento de tributos que não sejam iguais para todos os contribuintes. Como *princípio*, porque estabelece como devida a realização do valor da igualdade. E como *postulado*, porque estabelece um dever jurídico de comparação (*Gebot der Vergleichung*) a ser seguido na interpretação e aplicação, preexcluindo critérios de diferenciação que não sejam aqueles previstos no próprio ordenamento jurídico.[92]

As considerações precedentes são importantes para demonstrar que as distinções que propugnam alternativas exclusivas entre as espécies normativas podem ser aperfeiçoadas. Alguns exemplos o evidenciam. Para alguns a irretroatividade *é* regra objetiva.[93] Para outros, princípio.[94] Para uns as imunidades *são* regras.[95] Para outros, princípios.[96] E assim sucessivamente, como os cavalheiros descritos por Lessa, que, caminhando um ao encontro do outro, em uma avenida na qual se erguia uma estátua armada de um escudo, de um lado de prata e de outro de ouro, furiosamente se engalfinharam, cada um sustentando ser o escudo *somente* do metal que podia ver do seu lado.[97]

Ora, o que não pode ser olvidado é o fato de que os dispositivos que servem de ponto de partida para a construção normativa podem germinar tanto uma regra, se o caráter comportamental for privilegiado pelo aplicador em detrimento da finalidade que lhe dá suporte, como também podem proporcionar a fundamentação de um princípio, se o aspecto valorativo for *autonomizado* para alcançar também comporta-

92. Lothar Michael, *Der allgemeine Gleichheitssatz als Methodennorm komparativer Systeme*, p. 48.

93. Marco Aurélio Greco, *Contribuições (Uma Figura "Sui Generis")*, p. 168.

94. Maria Luíza Vianna Pessoa de Mendonça, *O Princípio Constitucional da Irretroatividade da Lei*, pp. 59 e ss.

95. Misabel de Abreu Machado Derzi, "Notas" a Aliomar Baleeiro, *Limitações Constitucionais ao Poder de Tributar*, 7ª ed., p. 228.

96. Márcio Pestana, *O Princípio da Imunidade Tributária*, p. 63.

97. Pedro Lessa, *Biblioteca Internacional de Obras Célebres*, v. XI, p. 1.049.

mentos inseridos noutros contextos. Um dispositivo cujo significado preliminar determina um comportamento para preservar um valor, caso em que seria enquadrado como uma regra, permite que esse valor seja autonomizado para exigir outros comportamentos, não descritos, necessários à sua realização. Por exemplo, o significado do dispositivo que dispõe que os tributos só podem ser instituídos por lei pode ser enquadrado como regra, na medida em que a adoção do procedimento parlamentar é o comportamento frontalmente prescrito. Isso não quer dizer que, focalizando a questão sob outra perspectiva, aquele mesmo comportamento não possa ser examinado no seu significado finalístico de garantia de segurança e estabilidade às atividades dos contribuintes. Nessa hipótese, a própria previsão do comportamento termina, por via oblíqua, preservando um valor que se torna autônomo, e passa a exigir a adoção de outros comportamentos de forma independente. Pode-se afirmar que, ao condicionar a instituição de tributos à publicação de uma lei (art. 150, I), a Constituição Federal estabeleceu um âmbito de livre iniciativa que deve ser promovido pelo legislador pela permissão de comportamentos que sejam necessários à sua promoção, como, por exemplo, a permissão de planejamento tributário. Nesse caso, o dispositivo termina por germinar um princípio. Essas considerações demonstram que um mesmo dispositivo pode ser ponto de partida para a construção de regras e de princípios, desde que o comportamento previsto seja analisado sob perspectivas diversas, pois um mesmo dispositivo não pode, ao mesmo tempo e sob o mesmo aspecto, ser um princípio e uma regra.

O que aqui se propõe é justamente a superação desse enfoque baseado numa alternativa exclusiva das espécies normativas, em favor de uma distinção baseada no caráter pluridimensional dos enunciados normativos, pelos fundamentos já expostos.[98]

Além de este estudo propor superação de um modelo dual de separação *regras/princípios*, baseado nos critérios da existência de hipótese e do modo de aplicação e fundado em alternativas exclusivas, ele também propõe a adoção de um modelo tripartite de dissociação *regras/princípios/postulados*, que, ademais de dissociar as regras dos princípios quanto ao dever que instituem, à justificação que exigem e ao modo como contribuem para solucionar conflitos, acrescenta a essas categorias normativas a figura dos postulados, definidos como *ins-*

98. Sobre o assunto, v. Alfonso García Figueroa, *Principios y Positivismo Jurídico*, p. 151.

trumentos normativos metódicos, isto é, como categorias que impõem condições a serem observadas na aplicação das regras e dos princípios, com eles não se confundindo.[99] Sobre eles voltaremos a falar.

2.4.2 Critérios de dissociação

2.4.2.1 Critério da natureza do comportamento prescrito

As regras podem ser dissociadas dos princípios *quanto ao modo como prescrevem o comportamento*. Enquanto *as regras são normas imediatamente descritivas*, na medida em que estabelecem obrigações, permissões e proibições mediante a descrição da conduta a ser adotada, *os princípios são normas imediatamente finalísticas*, já que estabelecem um estado de coisas para cuja realização é necessária a adoção de determinados comportamentos. Os princípios são normas cuja qualidade frontal é, justamente, a determinação da realização de um fim juridicamente relevante, ao passo que característica dianteira das regras é a previsão do comportamento.

Com efeito, os princípios estabelecem um estado ideal de coisas a ser atingido (*state of affairs*, *Idealzustand*), em virtude do qual deve o aplicador verificar a adequação do comportamento a ser escolhido ou já escolhido para resguardar tal estado de coisas. *Estado de coisas* pode ser definido como uma situação qualificada por determinadas qualidades. O estado de coisas transforma-se em *fim* quando alguém aspira conseguir, gozar ou possuir as qualidades presentes naquela situação.[100] Por exemplo, o princípio do Estado de Direito estabelece estados de coisas, como a existência de responsabilidade (do Estado), de previsibilidade (da legislação), de equilíbrio (entre interesses públicos e privados) e de proteção (dos direitos individuais), para cuja realização é indispensável a adoção de determinadas condutas, como a criação de ações destinadas a responsabilizar o Estado, a publicação com antecedência da legislação, o respeito à esfera privada e o tratamento igualitário. Enfim, os princípios, ao estabelecerem fins a serem atingidos, exigem a promoção de um estado de coisas – bens jurídicos – que impõe condutas necessárias à sua preservação ou realização. Daí possuírem caráter deôntico-teleológico: *deôntico*, porque estipulam razões

99. Humberto Bergmann Ávila, "A distinção entre princípios e regras e a redefinição do dever de proporcionalidade", *RDA* 215/151-152.

100. Georg von Wright, "Rationalität: Mittel und Zwecke", in *Normen, Werte und Handlungen*, p. 127.

para a existência de obrigações, permissões ou proibições; *teleológico*, porque as obrigações, permissões e proibição decorrem dos efeitos advindos de determinado comportamento que preservam ou promovem determinado estado de coisas.[101] Daí afirmar-se que os princípios são *normas-do-que-deve-ser* (*ought-to-be-norms*): seu conteúdo diz respeito a um estado ideal de coisas (*state of affairs*).[102]

Em razão das considerações precedentes, e com base nos escritos de Wright, pode-se afirmar que os princípios estabelecem uma espécie de *necessidade prática*: prescrevem um estado ideal de coisas que só será realizado se determinado comportamento for adotado.[103]

Já as regras podem ser definidas como *normas mediatamente finalísticas*, ou seja, normas que estabelecem indiretamente fins, para cuja concretização estabelecem com maior exatidão qual o comportamento devido; e, por isso, dependem menos intensamente da sua relação com outras normas e de atos institucionalmente legitimados de interpretação para a determinação da conduta devida. Enfim, as regras são prescrições cujo elemento frontal é o descritivo. Daí possuírem caráter deôntico-deontológico: *deôntico*, porque estipulam razões para a existência de obrigações, permissões ou proibições; *deontológico*, porque as obrigações, permissões e proibições decorrem de uma norma que indica "o que" deve ser feito.[104] Daí afirmar-se que as regras são *normas-do-que-fazer* (*ought-to-do-norms*): seu conteúdo diz diretamente respeito a ações (*actions*).[105]

Ambas as normas, contudo, podem ser analisadas tanto sob o ponto de vista comportamental quanto finalístico: as regras instituem o dever de adotar o *comportamento descritivamente prescrito*, e os princípios instituem o dever de adotar o *comportamento necessário* para realizar o estado de coisas; as regras prescrevem um comportamento para atingir determinado fim, e os princípios estabelecem o dever de realizar ou preservar um estado de coisas pela adoção de comportamentos a ele necessários. Por isso, a distinção é centrada na proximidade de sua relação, imediata ou mediata, com fins que devem ser atingidos e com

101. Jaap. C. Hage, *Reasoning with Rules....*, p. 67.

102. Aulis Aarnio, *Reason and Authority....*, p. 183; Aleksander Peczenik, *On Law and Reason*, p. 74.

103. Georg Henrik von Wright, "Sein und Sollen", in *Normen, Werte und Handlungen*, p. 36.

104. Jaap. C. Hage, *Reasoning with Rules....*, p. 67.

105. Aulis Aarnio, *Reason and Authority....*, p. 181.

condutas que devem ser adotadas. Isso permite que o aplicador saiba, de antemão, que tanto os princípios quanto as regras fazem referência a fins e a condutas: as regras prevêem condutas que servem à realização de fins devidos, enquanto os princípios prevêem fins cuja realização depende de condutas necessárias.

2.4.2.2 Critério da natureza da justificação exigida

As regras podem ser dissociadas dos princípios *quanto à justificação que exigem*. A interpretação e a aplicação das regras exigem uma avaliação da correspondência entre a construção conceitual dos fatos e a construção conceitual da norma e da finalidade que lhe dá suporte, ao passo que a interpretação e a aplicação dos princípios demandam uma avaliação da correlação entre o estado de coisas posto como fim e os efeitos decorrentes da conduta havida como necessária.

Esse tópico permite verificar que a diferença entre as categorias normativas não é centrada no *modo de aplicação*, se *tudo ou nada* ou *mais ou menos*, mas no *modo de justificação* necessário à sua aplicação. O critério escolhido não focaliza o modo final de aplicação, se absoluto ou relativo, já que ele só pode ser confirmado ao final. O critério adotado perscruta a justificação necessária à aplicação, que pode ser aferida preliminarmente.

No caso das regras, como há maior determinação do comportamento em razão do caráter descritivo ou definitório do enunciado prescritivo, o aplicador deve argumentar de modo a fundamentar uma avaliação de *correspondência* da construção factual à descrição normativa e à finalidade que lhe dá suporte.[106] A previsão sobre um estado futuro de coisas é imediatamente irrelevante. Daí se dizer que as regras possuem, em vez de um elemento finalístico, um elemento descritivo.[107] Sendo facilmente demonstrável a correspondência, o ônus argumentativo é menor, na medida em que a descrição normativa serve, por si só, como justificação. Se a construção conceitual do fato, embora corresponda à construção conceitual da descrição normativa, não se adequar à finalidade que lhe dá suporte ou for superável por outras razões, o ônus argumentativo é muito maior. São os chamados *casos difíceis*. Por exemplo, imagine-se uma legislação que proíba os motoristas de táxi e

106. Robert Summers, "Two types of substantive reasons:...", *The Jurisprudence of Law's Form and Substance (Collected Essays in Law)*, pp. 155-236 (224).

107. Jaap. C. Hage, *Reasoning with Rules....*, p. 116.

de lotação de conduzirem passageiros acompanhados de animais, especialmente de cães. Se algum veículo for surpreendido conduzindo animais, o proprietário será obrigado a pagar uma multa. A citada norma, dentro do modelo classificatório aqui esquadrinhado, seria uma regra, e, como tal, instituidora de uma obrigação absoluta: se o motorista permitir o ingresso de animais no veículo, e a regra for válida, a penalidade deve ser imposta. Apesar disso, o Departamento de Trânsito poderá deixar de impor a multa para os casos em que os passageiros são cegos e precisam de cães-guia. Novamente, o modo de aplicação da regra não se circunscreve à definição de "animal" ou de "cão". Quando há uma divergência entre o conteúdo semântico de uma regra (por exemplo, proibição da entrada de cães em veículos de transporte) e a justificação que a suporta (por exemplo, promover a segurança no trânsito), o intérprete, em casos excepcionais e devidamente justificáveis, termina analisando razões para adaptar o conteúdo da própria regra. Nessa hipótese, a investigação da finalidade da própria norma (*rule's purpose*) permite deixar de enquadrar na hipótese normativa casos preliminarmente enquadráveis. Isso significa – para o que aqui interessa – que é preciso ponderar a razão geradora da regra com as razões substanciais para seu não-cumprimento, diante de determinadas circunstâncias, com base na finalidade da própria regra ou em outros princípios. Para fazê-lo, porém, é preciso fundamentação que possa superar a importância das razões de autoridade que suportam o cumprimento incondicional da regra. Enfim, o traço distintivo das regras não é modo absoluto de cumprimento. Seu traço distintivo é o modo como podem deixar de ser aplicadas integralmente – o que é algo diverso.

No caso dos princípios, o elemento descritivo cede lugar ao elemento finalístico, devendo o aplicador, em razão disso, argumentar de modo a fundamentar uma avaliação de *correlação* entre os efeitos da conduta a ser adotada e a realização gradual do estado de coisas exigido. Como não se trata de demonstração de correspondência, o ônus argumentativo é estável, não havendo casos fáceis e casos difíceis. E, como não há descrição do conteúdo do comportamento, a interpretação do conteúdo normativo dos princípios depende, com maior intensidade, do exame problemático. Com efeito, os princípios da motivação dos atos administrativos e da moralidade da administração não podem ser construídos sem o exame de casos em que foram aplicados ou em que deveriam ter sido aplicados, mas deixaram de ser. Daí a maior necessidade da análise de casos paradigmáticos para a investigação do conteúdo normativo dos princípios: é preciso investigar casos cuja solução, porque baseada em valores passíveis de generalização, possa servir de paradigma para outros casos similares, como será adiante analisado.[108]

O importante é que a distinção entre as regras e os princípios remete a conhecimentos e capacidades diversos do aplicador, relativamente ao objeto e ao modo de justificação da decisão de interpretação.[109] As regras e os princípios divergem relativamente à sua força justificativa e ao seu objeto de avaliação. Com efeito, como as regras consistem em normas imediatamente descritivas e mediatamente finalísticas, a justificação da decisão de interpretação será feita mediante avaliação de concordância entre a construção conceitual dos fatos e a construção conceitual da norma. Como os princípios se constituem em normas imediatamente finalísticas e mediatamente de conduta, a justificativa da decisão de interpretação será feita mediante avaliação dos efeitos da conduta havida como meio necessário à promoção de um estado de coisas posto pela norma como ideal a ser atingido.

Note-se que o tópico em pauta indica que os princípios estabelecem com menor determinação qual o comportamento necessário à sua concretização. Não se está, com isso, afirmando que os princípios possuem um *elemento descritivo aparente*, como ocorre no caso das regras. Em vez disso, quer-se enfatizar que os princípios, na medida em que impõem a busca ou a preservação de um estado ideal de coisas, terminam por prescrever a adoção de comportamentos necessários à sua realização, mesmo sem a descrição dianteira desses comportamentos. Dito de outro modo, os princípios não determinam imediatamente o objeto do comportamento, mas determinam a sua espécie.

Em razão das considerações precedentes, pode-se afirmar, também, que as regras assumem caráter *retrospectivo* (*past-regarding*), na medida em que descrevem uma situação de fato conhecida pelo legislador; ao contrário dos princípios, que possuem caráter *prospectivo* (*future-regarding*), já que determinam um estado de coisas a ser construído.[110] Essa distinção, porém, deve ser vista com reservas. Com efei-

108. Claus-Wilhelm Canaris, "Theorienrezeption und Theorienstruktur", in Hans G. Leser (org.), *Wege zum japanischen Recht. Festschrift für Zentaro Kitagawa*, pp. 59-94.

109. Robert Summers, "Two types of substantive reasons:...", *The Jurisprudence of Law's Form and Substance (Collected Essays in Law)*, pp. 155-236 (224).

110. Idem, p. 169.

to, a previsão de fatos a acontecer leva em consideração a experiência acumulada no passado: não é possível avaliar qual comportamento humano é adequado à realização de um estado ideal de coisas sem considerar comportamentos passados e sua relação com um estado de coisas já conquistado. Não é, pois, correto afirmar que somente as regras procedem a uma caracterização valorativa de fatos passados. Pode-se – isto, sim – afirmar que as regras são normas com caráter *primariamente retrospectivo*; e os princípios, normas com caráter *primariamente prospectivo*. Mas não mais do que isso.

2.4.2.3 Critério da medida de contribuição para a decisão

As regras podem ser dissociadas dos princípios *quanto ao modo como contribuem para a decisão*. Os princípios consistem em normas *primariamente complementares* e *preliminarmente parciais*, na medida em que, sobre abrangerem apenas parte dos aspectos relevantes para uma tomada de decisão, não têm a pretensão de gerar uma solução específica, mas de contribuir, ao lado de outras razões, para a tomada de decisão. Por exemplo, o princípio da proteção dos consumidores não tem pretensão monopolista, no sentido de prescrever todas e quaisquer medidas de proteção aos consumidores, mas aquelas que possam ser harmonizadas com outras medidas necessárias à promoção de outros fins, como livre iniciativa e propriedade.

Já as regras consistem em normas *preliminarmente decisivas* e *abarcantes*, na medida em que, a despeito da pretensão de abranger todos os aspectos relevantes para a tomada de decisão, têm a aspiração de gerar uma solução específica para o conflito entre razões. Por exemplo, o dispositivo que exclui a competência das pessoas políticas para instituir impostos sobre livros, jornais e periódicos (art. 150, VI, "d") predetermina quais são os objetos que são preliminarmente afastados do poder de tributar, podendo ser enquadrados, nesse aspecto relativo à exclusão de poder, na espécie de regras. Nesse sentido, possui a pretensão de determinar que somente os livros, os jornais e os periódicos não podem ser objeto de tributação, afastando, de antemão, quaisquer dúvidas quanto à inclusão de outros objetos, como quadros ou estátuas, no seu âmbito de aplicação. O mesmo não ocorreria se a Constituição Federal, ao invés de predeterminar os objetos abrangidos pela imunidade, apenas estabelecesse que ficariam excluídos da tributação todos os objetos que fossem necessários à manifestação da liberdade de manifestação do pensamento ou da arte. Nesse caso a solução a respeito do conflito entre razões contra e a favor da inclusão de determinados objetos no âmbito normativo ficaria aberta.

Esse tópico realça a *maior* interdependência entre os princípios. Daí se enfatizar a relação de imbricamento ou entrelaçamento entre eles. Isso se dá justamente porque os princípios estabelecem diretrizes valorativas a serem atingidas, sem descrever, de antemão, qual o comportamento adequado a essa realização. Essas diretrizes valorativas cruzam-se reciprocamente, em várias direções, não necessariamente conflitantes.

Os princípios possuem, pois, *pretensão* de complementaridade, na medida em que, sobre abrangerem apenas parte dos aspectos relevantes para uma tomada de decisão, não têm a pretensão de gerar uma solução específica, mas de contribuir, ao lado de outras razões, para a tomada de decisão. *Os princípios são, pois, normas com pretensão de complementaridade e de parcialidade.*

As regras possuem, em vez disso, pretensão terminativa, na medida em que, sobre pretenderem abranger todos os aspectos relevantes para a tomada de decisão, têm a pretensão de gerar uma solução específica para a questão.[111] O preenchimento das condições de aplicabilidade é a própria razão de aplicação das regras. *As regras são, pois, normas preliminarmente decisivas e abarcantes.*

Convém ressaltar que as regras são apenas preliminarmente decisivas. Isso significa que não são decisivas na medida em que podem ter suas condições de aplicabilidade preenchidas e, ainda assim, não ser aplicáveis, pela consideração a razões excepcionais que superem a própria razão que sustenta a aplicação normal da regra. Esse fenômeno denomina-se de *aptidão para cancelamento* (*defeasibility*). Lembre-se que o tópico, ao mencionar a dependência mais intensa dos princípios em relação a outras normas do ordenamento, não exclui nem a ponderação entre razões, nem mesmo a complementaridade no caso de aplicação das regras.

Por fim, esse tópico realça a colaboração constitutiva dos aplicadores do Direito para a concretização dos princípios. Precisamente porque os princípios instituem fins a realizar, os comportamentos adequados à sua realização e a própria delimitação dos seus contornos normativos dependem – muito mais do que dependem as regras – de atos do Poder Judiciário, do Poder Legislativo e do Poder Executivo, sem os quais os princípios não adquirem normatividade.

111. Jaap. C. Hage, *Reasoning with Rules....*, p. 116.

2.4.2.4 Quadro esquemático

	Princípios	**Regras**
Dever imediato	Promoção de um estado ideal de coisas	Adoção da conduta descrita
Dever mediato	Adoção da conduta necessária	Manutenção de fidelidade à finalidade subjacente e aos princípios superiores
Justificação	Correlação entre efeitos da conduta e o estado ideal de coisas	Correspondência entre o conceito da norma e o conceito do fato
Pretensão de decidibilidade	Concorrência e parcialidade	Exclusividade e abarcância

2.4.3 Proposta conceitual das regras e dos princípios

A essa altura, pode-se concluir, apresentando um conceito de regras e um de princípios.

As regras são normas imediatamente descritivas, primariamente retrospectivas e com pretensão de decidibilidade e abrangência, para cuja aplicação se exige a avaliação da correspondência, sempre centrada na finalidade que lhes dá suporte ou nos princípios que lhes são axiologicamente sobrejacentes, entre a construção conceitual da descrição normativa e a construção conceitual dos fatos.

Os princípios são normas imediatamente finalísticas, primariamente prospectivas e com pretensão de complementaridade e de parcialidade, para cuja aplicação se demanda uma avaliação da correlação entre o estado de coisas a ser promovido e os efeitos decorrentes da conduta havida como necessária à sua promoção.

Como se vê, os princípios são normas imediatamente finalísticas. Eles estabelecem um fim a ser atingido. Como bem define Ota Weinberger, um fim é idéia que exprime uma orientação prática. Elemento constitutivo do fim é a fixação de um *conteúdo* como pretendido. Essa explicação só consegue ser compreendida com referência à função pragmática dos fins: eles representam uma *função diretiva* (*richtungsgebende Funktion*) para a determinação da conduta. Objeto do fim são conteúdos desejados. Esses, por sua vez, podem ser o alcance de uma situação terminal (viajar até algum lugar), a realização de uma situação ou estado (garantir previsibilidade), a perseguição de uma situação contínua (preservar o bem-estar das pessoas) ou a persecução de um processo demorado (aprender o idioma Alemão). O fim não precisa, necessariamente, representar um ponto final qualquer (*Endzustand*), mas apenas um conteúdo desejado. Daí se dizer que o fim estabelece um estado ideal de coisas a ser atingido, como forma geral para enquadrar os vários conteúdos de um fim. A instituição do fim é ponto de partida para a procura por meios. Os meios podem ser definidos como condições (objetos, situações) que causam a promoção gradual do conteúdo do fim. Por isso a idéia de que os meios e os fins são conceitos correlatos.[112]

Por exemplo, o princípio da moralidade exige a *realização* ou *preservação* de um estado de coisas exteriorizado pela lealdade, seriedade, zelo, postura exemplar, boa-fé, sinceridade e motivação.[113] Para a realização desse estado ideal de coisas são necessários determinados comportamentos. Para efetivação de um estado de lealdade e boa-fé é preciso cumprir aquilo que foi prometido. Para realizar um estado de seriedade é essencial agir por motivos sérios. Para tornar real uma situação de zelo é fundamental colaborar com o administrado e informá-lo de seus direitos e da forma como protegê-los. Para concretizar um estado em que predomine a sinceridade é indispensável falar a verdade. Para garantir a motivação é necessário expressar por que se age. Enfim, sem esses comportamentos não se contribui para a existência do estado de coisas posto como ideal pela norma, e, por conseqüência, não se atinge o fim. Não se concretiza, portanto, o princípio.

O importante é que, se o estado de coisas deve ser buscado, e se ele só se realiza com determinados comportamentos, esses comportamentos passam a constituir necessidades práticas sem cujos efeitos a progressiva promoção do fim não se realiza. Como afirma Weinberger, a relação meio/fim leva à transferência da intencionalidade dos fins para a dos meios.[114] Em outras palavras, a positivação de princípios implica a obrigatoriedade da adoção dos comportamentos necessários à sua realização, salvo se o ordenamento jurídico predeterminar o meio por regras de competência.

As considerações antes feitas demonstram que os princípios não são apenas valores cuja realização fica na dependência de meras prefe-

112. Ota Weinberger, *Rechtslogik*, 2ª ed., p. 283.

113. Paulo Modesto, "Controle jurídico do comportamento ético da Administração Pública no Brasil", *RDA* 209/77.

114. *Rechtslogik*, 2ª ed., p. 287.

rências pessoais. Eles são, ao mesmo tempo, mais do que isso e algo diferente disso. Os princípios instituem o dever de adotar comportamentos necessários à realização de um estado de coisas ou, inversamente, instituem o dever de efetivação de um estado de coisas pela adoção de comportamentos a ele necessários. Essa perspectiva de análise evidencia que os princípios implicam comportamentos, ainda que por via indireta e regressiva. Mais ainda, essa investigação permite verificar que os princípios, embora indeterminados, não o são absolutamente. Pode até haver incerteza quanto ao *conteúdo* do comportamento a ser adotado, mas não há quanto à sua *espécie*: o que for necessário para promover o fim é devido.

Logo se vê que os princípios, embora relacionados a valores, não se confundem com eles. Os princípios relacionam-se aos valores na medida em que o estabelecimento de fins implica qualificação positiva de um estado de coisas que se quer promover. No entanto, os princípios afastam-se dos valores porque, enquanto os princípios se situam no plano deontológico e, por via de conseqüência, estabelecem a obrigatoriedade de adoção de condutas necessárias à promoção gradual de um estado de coisas, os valores situam-se no plano axiológico ou meramente teleológico e, por isso, apenas atribuem uma qualidade positiva a determinado elemento.[115]

A delimitação dos comportamentos devidos depende, porém, da implementação de algumas condições. De fato, como saber quais são as condições que compõem o estado ideal de coisas a ser buscado e quais são os comportamentos necessários a essa realização? Algumas diretrizes metódicas facilitam o encontro das respostas a essas questões.[116]

2.4.4 Diretrizes para a análise dos princípios

Considerando a definição de princípios como normas finalísticas, que exigem a delimitação de um estado ideal de coisas a ser buscado por meio de comportamentos necessários a essa realização, propõem-se os seguintes passos para a investigação dos princípios.

115. Robert Alexy, "Rechtsregeln und Rechtsprinzipien", *Archives Rechts und Sozialphilosophie*, Beiheft 25/24; Eros Roberto Grau, *Ensaio...*, p. 42.

116. Claus-Wilhelm Canaris, "Theorienrezeption und Theorienstruktur", in *Wege zum japanischen Recht....*, pp. 59-94.

2.4.4.1 Especificação dos fins ao máximo: quanto menos específico for o fim, menos controlável será sua realização

O início da progressiva delimitação do fim se faz pela construção de relações entre as próprias normas constitucionais, de modo a estruturar uma cadeia de fundamentação, centrada nos princípios aglutinadores. A leitura da Constituição Federal, com a percepção voltada para a delimitação dos fins, é imprescindível. Por exemplo, em vez de jungir a Administração à promoção da saúde pública, sem delimitar o que isso significa em cada contexto, é preciso demonstrar que a saúde pública significa, no contexto em análise e de acordo com determinados dispositivos da Constituição Federal, o dever de disponibilizar a vacina "x" para frear o avanço da epidemia "y". *Enfim, é preciso trocar o fim vago pelo fim específico.*

Bem concretamente, isso significa (a) ler a Constituição Federal, com atenção específica aos dispositivos relacionados ao princípio objeto de análise; (b) relacionar os dispositivos em função dos princípios fundamentais; (c) tentar diminuir a vagueza dos fins por meio da análise das normas constitucionais que possam, de forma direta ou indireta, restringir o âmbito de aplicação do princípio.

2.4.4.2 Pesquisa de casos paradigmáticos que possam iniciar esse processo de esclarecimento das condições que compõem o estado ideal de coisas a ser buscado pelos comportamentos necessários à sua realização

Casos paradigmáticos são aqueles cuja solução pode ser havida como exemplar, considerando-se exemplar aquela solução que serve de modelo para a solução de outros tantos casos, em virtude da capacidade de generalização do seu conteúdo valorativo. Por exemplo, ao invés de meramente afirmar que a Administração deve pautar sua atividade segundo os padrões de moralidade, é preciso indicar que, em determinados casos, o dever de moralidade foi especificado como o dever de realizar expectativas criadas por meio do cumprimento das promessas antes feitas ou como o dever de realizar os objetivos legais por meio da adoção de comportamentos sérios e fundamentados. *Enfim, é preciso substituir o fim vago por condutas necessárias à sua realização.*

Bem concretamente, isso significa (a) investigar a jurisprudência, especialmente dos Tribunais Superiores, para encontrar casos paradigmáticos; (b) investigar a íntegra dos acórdãos escolhidos; (c) verificar, em cada caso, quais foram os comportamentos havidos como necessários à realização do princípio objeto de análise.

2.4.4.3 Exame, nesses casos, das similaridades capazes de possibilitar a constituição de grupos de casos que girem em torno da solução de um mesmo problema central

Ao investigar alguns casos (o caso de um funcionário que agiu conforme memorando interno de uma instituição financeira, que mais tarde não o quis cumprir; o caso de um estudante que teve deferido seu pedido de transferência de uma Universidade para outra, e anos mais tarde teve sua transferência anulada, por vício formal; e o caso de uma empresa que obteve a concessão de um benefício fiscal, durante anos, para a promoção de um projeto empresarial, até tê-lo anulado por irregularidades formais), constata-se que, em todos eles, as decisões do Poder Judiciário giraram em torno do problema relativo à proteção da legítima expectativa criada pelo próprio Poder Público na esfera jurídica do particular, notadamente quando essa expectativa se consolidou, no plano dos fatos, durante anos. Enfim, *é necessário abandonar a mera catalogação de casos isolados, em favor da investigação do problema jurídico neles envolvido e dos valores que devem ser preservados para sua solução.*

Bem concretamente, isso significa (a) analisar a existência de um problema comum que aproxime os casos diferentes; (b) verificar os valores responsáveis pela solução do problema.

2.4.4.4 Verificação da existência de critérios capazes de possibilitar a delimitação de quais são os bens jurídicos que compõem o estado ideal de coisas e de quais são os comportamentos considerados necessários à sua realização

Alguns casos investigados na análise do princípio da moralidade podem revelar, de um lado, o dever de realizar o valor da lealdade e, de outro, a necessidade de adotar comportamentos sérios, motivados e esclarecedores para a realização desse valor. *Enfim, troca-se a busca de um ideal pela realização de um fim concretizável.*

Bem concretamente, isso significa (a) analisar a existência de critérios que permitam definir, também para outros casos, quais são os comportamentos necessários para a realização de um princípio; (b) expor os critérios que podem ser utilizados e os fundamentos que levam à sua adoção.

2.4.4.5 Realização do percurso inverso: descobertos o estado de coisas e os comportamentos necessários à sua promoção, torna-se necessária a verificação da existência de outros casos que deveriam ter sido decididos com base no princípio em análise

O segundo passo no exame dos princípios, como já foi mencionado, refere-se à investigação da jurisprudência, especialmente dos Tribunais Superiores, para verificar, em cada caso paradigmático, quais foram os comportamentos havidos como necessários à realização do princípio objeto de análise.

Casos há, no entanto, em que determinado princípio é utilizado sem que ele seja expressamente mencionado. Em outros casos, embora obrigatória a promoção do fim, o princípio não é utilizado como fundamento. Em face dessas considerações, é preciso, depois de desveladas as hipóteses de aplicação típica do princípio em análise, refazer a pesquisa, dessa feita não mediante a busca do princípio como palavra-chave, mas por meio da busca do estado de coisas e dos comportamentos havidos como necessários à sua realização.

Em outras palavras, isso significa (a) refazer a pesquisa jurisprudencial mediante a busca de outras palavras-chave; (b) analisar criticamente as decisões encontradas, reconstruindo-as de acordo com o princípio em exame, de modo a evidenciar sua falta de uso.

Esses passos demonstram que se trata de um longo caminho a ser percorrido. Todo o esforço exigido nesse percurso tem uma finalidade precisa: superar a mera exaltação de valores em favor de uma delimitação progressiva e racionalmente sustentável de comportamentos necessários à realização dos fins postos pela Constituição Federal.

2.4.5 Exemplo do princípio da moralidade

A utilização dessas diretrizes pode ser exemplificada no exame do princípio da moralidade, ainda que de modo sintético. O dispositivo que serve de ponto de partida para a construção do princípio da moralidade está contido no art. 37 da Constituição Federal, que põe a moralidade como sendo um dos princípios fundamentais da atividade administrativa. A Constituição Federal, longe de conceder uma palavra isolada à moralidade, atribui-lhe grande importância em vários dos seus dispositivos. A sumária sistematização do significado preliminar desses dispositivos demonstra que a Constituição Federal preocupou-se com padrões de conduta de vários modos.

Primeiro, *estabelecendo valores fundamentais*, como dignidade, trabalho, livre iniciativa (art. 1º), justiça (art. 3º), igualdade (art. 5º, *caput*), liberdade, propriedade e segurança (art. 5º, *caput*), estabilidade das relações (art. 5º, *caput* e inciso XXXVI). A instituição desses valores implica não só o dever de que eles sejam considerados no exercício da atividade administrativa, como, também, a proibição de que sejam restringidos sem plausível justificação.

Segundo, *instituindo um modo objetivo e impessoal de atuação administrativa*, baseado nos princípios do Estado de Direito (art. 1º), da separação dos Poderes (art. 2º), da legalidade e da impessoalidade (arts. 5º e 37). A instituição de um modo objetivo de atuação implica a primazia dos atos exercidos sob o amparo jurídico em detrimento daqueles praticados arbitrariamente.

Terceiro, *criando procedimentos de defesa dos direitos dos cidadãos*, por meio da universalização da jurisdição (art. 5º, XXXV), da proibição de utilização de provas ilícitas (art. 5º, LVI), do controle da atividade administrativa via mandado de segurança e ação popular, inclusive contra atos lesivos à moralidade (art. 5º, LXIX e LXXIII), e da anulação de atos de improbidade administrativa (art. 37, § 4º). A criação de procedimentos de defesa permite a anulação de atos administrativos que se afastem do padrão de conduta juridicamente eleito.

Quarto, *criando requisitos para o ingresso na função pública*, mediante a exigência de concurso público (art. 37, II); a vedação de acumulação de cargos (art. 37, XVI), proibição de autopromoção (art. 37, XXI, e § 1º); a necessidade de demonstração de idoneidade moral ou reputação ilibada para ocupar os cargos de ministro do Tribunal de Contas (art. 73), do Supremo Tribunal Federal (art. 101), do Superior Tribunal de Justiça (art. 104), do Tribunal Superior Eleitoral (art. 119), do Tribunal Regional Eleitoral (art. 120); a exigência de idoneidade moral para requerer a naturalidade brasileira (art. 12); e a proibição de reeleição por violação à moralidade (art. 14). A consagração dessas condições para o ingresso na função implica a escolha da seriedade e da reputação como requisitos do homem público.

Quinto, *instituindo variados mecanismos de controle da atividade administrativa*, inclusive mediante controle de legitimidade dos atos administrativos pelos Tribunais de Contas (art. 70).

A sistematização do significado preliminar desses dispositivos termina por demonstrar que a Constituição Federal estabeleceu um rigoroso padrão de conduta para o ingresso e para o exercício da função pública, de tal sorte que, inexistindo seriedade, motivação e objetividade, os atos podem ser revistos por mecanismos internos e externos de controle.

Para melhor especificar esse rígido padrão de conduta, é necessário encontrar casos paradigmáticos que permitam esclarecer o significado da seriedade, da motivação e da objetividade que delimitam a moralidade almejada. Eis alguns.

Uma autoridade pública deixou escoar o prazo de validade de um concurso público para o preenchimento do cargo de Juiz de Direito Substituto, nomeando somente 33 dos 50 candidatos, depois de conhecidos todos aqueles que haviam sido aprovados, e publicou novo edital para a mesma finalidade. Intimada a esclarecer os motivos da inércia, a autoridade deu a entender que não prorrogou o prazo de validade do concurso porque não queria. Nesse caso, ficaram evidenciados a inércia intencional, o drible a normas imperativas, a malícia despropositada, a falta de postura exemplar e a ausência de motivos sérios. E esses comportamentos são incompatíveis com a seriedade e a veracidade necessárias à promoção da moralidade administrativa.[117]

Um sujeito pede transferência de uma Universidade federal para outra e tem seu pedido deferido, em razão do quê realiza a transferência e passa a freqüentar o curso durante longo período. Mais tarde a autoridade administrativa constata que foi desobedecida uma formalidade, razão por que pretende anular os atos anteriores que permitiram a transferência. Nesse caso ficou demonstrado o não-cumprimento de determinada promessa, bem como foi ferida uma expectativa criada pela própria Administração. E esses comportamentos são incompatíveis com a lealdade e a boa-fé, necessárias à promoção da moralidade administrativa.[118]

Como se pode perceber, o princípio da moralidade exige condutas sérias, leais, motivadas e esclarecedoras, mesmo que não previstas na lei. Constituem, pois, violação ao princípio da moralidade a conduta adotada sem parâmetros objetivos e baseada na vontade individual do agente e o ato praticado sem a consideração da expectativa criada pela Administração.

Analisados os princípios e as regras, cumpre, agora, examinar como eles produzem os seus efeitos. Passemos ao exame da sua eficácia.

117. STF, 2ª Turma, RE 192.568-0, rel. Min. Marco Aurélio, *DJU* 13.9.1996.

118. Humberto Ávila, "Benefícios fiscais inválidos e a legítima expectativa dos contribuintes", *Revista Tributária* 42/100-114.

2.4.6 Eficácia dos princípios

2.4.6.1 Eficácia interna

2.4.6.1.1 Conteúdo – As normas atuam sobre as outras normas do mesmo sistema jurídico, especialmente definindo-lhes o seu sentido e o seu valor. Os princípios, por serem normas imediatamente finalísticas, estabelecem um estado ideal de coisas a ser buscado, que diz respeito a outras normas do mesmo sistema, notadamente das regras. Sendo assim, os princípios são normas importantes para a compreensão do sentido das regras. Por exemplo, as regras de imunidade tributária são adequadamente compreendidas se interpretadas de acordo com os princípios que lhes são sobrejacentes, como é o caso da interpretação da regra da imunidade recíproca com base no princípio federativo. Essa aptidão para produzir efeitos em diferentes níveis e funções pode ser qualificada de função eficacial.[119]

2.4.6.1.2 Eficácia interna direta – Os princípios atuam sobre outras normas de forma direta e indireta. A *eficácia direta* traduz-se na atuação sem intermediação ou interposição de um outro (sub-)princípio ou regra. Dentro do âmbito da aptidão das normas para produzir efeitos, as normas exercem diferentes funções, dentre as quais algumas se destacam e merecem ser analisadas separadamente.

No plano da eficácia direta, os princípios exercem uma *função integrativa*, na medida em que justificam agregar elementos não previstos em subprincípios ou regras. Mesmo que um elemento inerente ao fim que deve ser buscado não esteja previsto, ainda assim o princípio irá garanti-lo. Por exemplo, se não há regra expressa que oportunize a defesa ou a abertura de prazo para manifestação da parte no processo – mas elas são necessárias –, elas deverão ser garantidas com base direta no princípio do devido processo legal. Outro exemplo: se não há regra expressa garantido a proteção da expectativa de direito – mas ela é necessária à implementação de um estado de confiabilidade e de estabilidade para o cidadão –, ela deverá ser resguardada com base direta no princípio da segurança jurídica. Nesses casos, há princípios que atuam diretamente.

2.4.6.1.3 Eficácia interna indireta – A *eficácia indireta* traduz-se na atuação com intermediação ou interposição de um outro (sub-)prin-

119. Sobre a utilização do termo "função eficacial", v. Tércio Sampaio Ferraz Jr., *Introdução ao Estudo do Direito*, p. 196. Sobre o uso do termo "função", relativa aos princípios, v. Miguel Reale, *Lições Preliminares de Direito*, p. 300.

cípio ou regra. No plano da eficácia indireta, os princípios exercem várias funções.

Em primeiro lugar, relativamente às normas mais amplas (sobreprincípios), os princípios exercem uma *função definitória*, na medida em que delimitam, com maior especificação, o comando mais amplo estabelecido pelo sobreprincípio axiologicamente superior. Por exemplo, os subprincípios da proteção da confiança e da boa-fé objetiva deverão especificar, para situações mais concretas, a abrangência do sobreprincípio da segurança jurídica.

Em segundo lugar, e agora em relação às normas de abrangência mais restrita, os (sobre)princípios exercem uma *função interpretativa*, na medida em que servem para interpretar normas construídas a partir de textos normativos expressos, restringindo ou ampliando seus sentidos. Por exemplo, o princípio do devido processo legal impõe a interpretação das regras que garantem a citação e a defesa de modo a garantir protetividade efetiva aos interesses do cidadão. Embora vários dos subelementos do princípio do devido processo legal já estejam previstos pelo próprio ordenamento jurídico, o princípio do devido processo legal não é supérfluo, pois permite que cada um deles seja "relido" ou "interpretado" conforme ele. No caso do princípio do Estado de Direito, ocorre o mesmo: embora vários dos seus subelementos já estejam previstos pelo ordenamento jurídico (separação dos poderes, legalidade, direitos e garantias individuais), ele não é desnecessário, na medida em que cada elemento deverá ser interpretado com a finalidade maior de garantir juridicidade e responsabilidade à atuação estatal. Essas considerações qualificam os princípios como *decisões valorativas objetivas com função explicativa* (*objektive Wertentscheidung mit erläuternder Funktion)*, nas hipóteses em que orientam a interpretação de normas constitucionais ou legais.

Em terceiro lugar, os princípios exercem uma *função bloqueadora*, porquanto afastam elementos expressamente previstos que sejam incompatíveis com o estado ideal de coisas a ser promovido. Por exemplo, se há uma regra prevendo a abertura de prazo, mas o prazo previsto é insuficiente para garantir efetiva protetividade aos direitos do cidadão, um prazo adequado deverá ser garantido em razão da eficácia bloqueadora do princípio do devido processo legal.

Os sobreprincípios, como, por exemplo, os princípios do Estado de Direito, da segurança jurídica, da dignidade humana e do devido processo legal, exercem importantes funções, mesmo na hipótese – bastante comum – de os seus subprincípios já estarem expressamente previstos pelo ordenamento jurídico. Como princípios que são, os sobreprincípios exercem as funções típicas dos princípios (interpretativa e bloqueadora), mas, justamente por atuarem "sobre" outros princípios (daí o termo "sobreprincípio"), não exercem nem a função integrativa (porque essa função pressupõe atuação direta e os sobreprincípios atuam indiretamente), nem a definitória (porque essa função, apesar de indireta, pressupõe a maior especificação e os sobreprincípios atuam para ampliar em vez de especificar). Na verdade, a função que os sobreprincípios exercem distintivamente é a *função rearticuladora*, já que eles permitem a interação entre os vários elementos que compõem o estado ideal de coisas a ser buscado. Por exemplo, o sobreprincípio do devido processo legal permite o relacionamento entre os subprincípios da ampla defesa e do contraditório com as regras de citação, de intimação, do juiz natural e da apresentação de provas, de tal sorte que cada elemento, pela relação que passa a ter com os demais em razão do sobreprincípio, recebe um significado novo, diverso daquele que teria caso fosse interpretado isoladamente.

2.4.6.2 Eficácia externa

2.4.6.2.1 Eficácia externa objetiva – As normas jurídicas, no entanto, não atuam somente sobre a compreensão de outras normas. Elas atuam sobre a compreensão dos próprios fatos e provas. Com efeito, sempre que se aplica uma norma jurídica é preciso decidir, dentre todos os fatos ocorridos, quais deles são pertinentes (*exame da pertinência*) e, dentre todos os pontos de vista, quais deles são os adequados para interpretar os fatos (*exame da valoração*).[120]

Neste ponto, entra em cena a noção de *eficácia externa*: as normas jurídicas são decisivas para a interpretação dos próprios fatos. Não se interpreta a norma e depois o fato, mas o fato de acordo com a norma e a norma de acordo com o fato, simultaneamente.[121] O mais importante aqui é salientar a eficácia externa que os princípios têm: como eles estabelecem indiretamente um valor pelo estabelecimento de um estado ideal de coisas a ser buscado, indiretamente eles fornecem um parâmetro para o exame da pertinência e da valoração. Por exemplo, o princípio da segurança jurídica estabelece um ideal de previsibilidade da atuação estatal, mensurabilidade das obrigações, continuidade e es-

120. Thédore Ivainer, *L'Interprétation des faits en droit*, pp. 188 e ss.

121. Arthur Kaufmann, *Analogie und Natur der Sache. Zugleich ein Beitrag zur Lehre vom Typus*, pp. 37 ss.

tabilidade das relações entre o Poder Público e o cidadão. A interpretação dos fatos deverá, por conseguinte, ser feita de modo a *selecionar* todos os fatos que puderem alterar a previsibilidade, a mensurabilidade, a continuidade e a estabilidade. Por exemplo, se um princípio protege a previsibilidade, não pode o intérprete desconsiderar os fatos que demonstram que o cidadão foi surpreendido no exercício de sua atividade econômica.

Essa é a *eficácia seletiva dos princípios*, que se baseia na constatação de que o intérprete não trabalha com fatos brutos, mas construídos. Os fatos são construídos pela mediação do discurso do intérprete. A existência mesma do fato não depende da experiência, mas da argumentação.[122] Não são encontrados prontos (*ready-made*).[123] Vale dizer: é o próprio intérprete que, em larga medida, decide qual fato é pertinente à solução de uma controvérsia *no curso da sua própria cognição*. Para decidir qual evento é pertinente, o intérprete deverá utilizar os parâmetros axiológicos oferecidos pelos princípios constitucionais, de modo a selecionar todos os eventos que se situarem no centro dos interesses protegidos pelas normas jurídicas. Pertinente será o evento cuja representação factual seja necessária à identificação de um bem jurídico protegido por um princípio constitucional. Com efeito, os princípios protegem determinados bens jurídicos (ações, estados ou situações cuja manutenção ou busca é devida) e permitem avaliar os elementos de fato que lhes são importantes. Trata-se, como se vê, de um procedimento retrooperativo, pois são os princípios que determinam quais são os fatos pertinentes, mediante uma *releitura axiológica* do material fático. O Direito não escolhe os fatos, mas oferece critérios que podem ser posteriormente projetados aos eventos para a construção dos fatos.[124]

Depois (logicamente) de selecionados os fatos pertinentes, é preciso valorá-los, de modo a *privilegiar* os pontos de vista que conduzam à valorização dos aspectos desses mesmos fatos, que terminem por

122. Jürgen Habermas, "Wahrheitstheorien", in *Vorstudien und Ergänzungen zur Theorie des kommunikativen Handels*, p. 135.

123. Csaba Varga, "The Non-cognitive Character of the Judicial Establishment of Facts", in *Praktische Vernunft und Rechtsanwendung. Archiv für Recht- und Sozialphilosophie*, v. 53, p. 232; Thédore Ivainer, *L'Interprétation des faits en droit*, p. 119.

124. Csaba Varga, "The Non-cognitive Character ...", ob. cit., v. 53, p. 235; Paulo de Barros Carvalho, *Direito Tributário: Fundamentos Jurídicos da Incidência*, p. 10.

proteger aqueles bens jurídicos. Dentro de uma mesma categoria de fatos, o intérprete deverá buscar o ângulo ou ponto de vista cuja avaliação seja suportada pelos princípios constitucionais.[125] É preciso como que conceitualizar a situação com base nos fins jurídicos.[126] Essa é a *função eficacial valorativa.*

Há, também, a *eficácia argumentativa.* Como os princípios constitucionais protegem determinados bens e interesses jurídicos, quanto maior for o efeito direto ou indireto na preservação ou realização desses bens, tanto maior deverá ser a justificação para essa restrição por parte do Poder Público (*postulado da justificabilidade crescente*). Como se vê, os princípios também possuem uma eficácia que, ademais de interpretativa, também é argumentativa: o Poder Público, se adotar medida que restrinja algum princípio que deve promover, deverá expor razões justificativas para essa restrição, em tanto maior medida quanto maior for a restrição.

2.4.6.2.2 Eficácia externa subjetiva – Relativamente aos sujeitos atingidos pela eficácia dos princípios, é preciso registrar que os princípios jurídicos funcionam como direitos subjetivos quando proíbem as intervenções do Estado em direitos de liberdade, qualificada também como *função de defesa ou de resistência* (*Abwehrfunktion*).

Os princípios também mandam tomar medidas para a a proteção dos direitos de liberdade, qualificada também de *função protetora* (*Schutzfunktion*). Ao Estado não cabe apenas respeitar os direitos fundamentais, senão também o dever de promovê-los por meio da adoção de medidas que os realizem da melhor forma possível.

2.4.7 Eficácia das regras

2.4.7.1 Eficácia interna

2.4.7.1.1 Eficácia interna direta – Como já analisado, as regras possuem uma *eficácia preliminarmente decisiva*, na medida em que pretendem oferecer uma solução provisória para determinado conflito de interesses já detectado pelo Poder Legislativo. Por isso, elas preexcluem a livre ponderação principiológica e exigem a demonstração de que o ente estatal se manteve, no exercício de sua competência, no seu âmbito material.

125. Thédore Ivainer, *L'Interprétation des faits* ..., p. 135.

126. Csaba Varga, "The Non-cognitive Character ...", ob. cit., v. 53, p. 232.

2.4.7.1.2 Eficácia interna indireta – Relativamente às normas mais amplas (princípios), as regras exercem uma *função definitória* (de concretização), na medida em que delimitam o comportamento que deverá ser adotado para concretizar as finalidades estabelecidas pelos princípios. Por exemplo, as regras legais do procedimento parlamentar deverão especificar, para situações mais concretas, a abrangência do princípio democrático.

Como já mencionado, as regras possuem uma rigidez maior, na medida em que a sua superação só é admissível se houver razões suficientemente fortes para tanto, quer na própria finalidade subjacente à regra, quer nos princípios superiores a ela. Daí por que as regras só podem ser superadas (*defeasibility of rules*) se houver razões extraordinárias para isso, cuja avaliação perpassa o postulado da razoabilidade, adiante analisado. A expressão "trincheira" bem revela o obstáculo que as regras criam para sua superação, bem maior do que aquele criado por um princípio. Esse é o motivo pelo qual, se houver um conflito real entre um princípio e uma regra de mesmo nível hierárquico, deverá prevalecer a regra e, não, o princípio, dada a função decisiva que qualifica a primeira. A regra consiste numa espécie de decisão parlamentar preliminar acerca de um conflito de interesses e, por isso mesmo, deve prevalecer em caso de conflito com uma norma imediatamente complementar, como é o caso dos princípios. Daí a *função eficacial de trincheira* das regras.

A esse respeito, convém registrar a importância de rever a concepção largamente difundida na doutrina juspublicista no sentido de que a violação de um princípio seria muito mais grave do que a transgressão a uma regra, pois implicaria violar vários comandos e subverter valores fundamentais do sistema jurídico.[127] Essa concepção parte de dois pressupostos: primeiro, de que um princípio vale mais do que uma regra, quando, na verdade, eles possuem diferentes funções e finalidades; segundo, de que a regra não incorpora valores, quando, em verdade, ela os cristaliza. Além disso, a idéia subjacente de reprovabilidade deve ser repensada. Como as regras possuem um caráter descritivo imediato, o conteúdo do seu comando é muito mais inteligível do que o comando dos princípios, cujo caráter imediato é apenas a reali-

127. Celso Antônio Bandeira de Mello, *Curso de Direito Administrativo*, 17ª ed., p. 842. Sobre essa definição, ver o excelente artigo de Ana Paula Barcellos, "Alguns parâmetros normativos para a ponderação constitucional", in *A Nova Interpretação Constitucional*, pp. 49 e ss.

zação de determinado estado de coisas. Sendo assim, mais reprovável é descumprir aquilo que "se sabia" dever cumprir. Quanto maior for o grau de conhecimento prévio do dever, tanto maior a reprovabilidade da transgressão. De outro turno, é mais reprovável violar a concretização definitória do valor na regra do que o valor pendente de definição e de complementação de outros, como ocorre no caso dos princípios. Como se vê, a reprovabilidade deve – é o que se defende neste trabalho – estar associada, em primeiro lugar, ao grau de conhecimento do comando e, em segundo lugar, ao grau de pretensão de decidibilidade. Ora, no caso das regras, o grau de conhecimento do dever a ser cumprido é muito maior do que aquele presente no caso dos princípios, devido ao caráter imediatamente descritivo e comportamental das regras. Veja-se que conhecer o conteúdo da norma que se deve cumprir é algo valorizado pelo próprio ordenamento jurídico por meio dos princípios da legalidade e da publicidade, por exemplo. Descumprir o que se sabe dever cumprir é mais grave do que descumprir uma norma cujo conteúdo ainda carecia de maior complementação. Ou dito diretamente: descumprir uma regra é mais grave do que descumprir um princípio. No caso das regras, o grau de pretensão de decidibilidade é muito maior do que aquele presente no caso dos princípios, tendo em vista ser a regra uma espécie de proposta de solução para um conflito de interesses conhecido ou antecipável pelo Poder Legislativo. Veja-se que o respeito a decisões já tomadas também é algo valorizado pelo ordenamento jurídico por meio da proteção ao direito adquirido, ao ato jurídico perfeito e à coisa julgada. Descumprir o que já foi objeto de decisão é mais grave do que descumprir uma norma cuja função é servir de razão complementar ao lado de outras razões para tomar uma futura decisão. Ou dito diretamente: descumprir uma regra é mais grave do que descumprir um princípio. Até porque, sem outro argumento a modificar a equação, o ônus de superar uma regra é maior do que aquele exigido para superar um princípio.[128] Ao contrário do que se crê, portanto, a opção legislativa pela regra reforça sua insuperabilidade preliminar.

Essas considerações revelam, pois, a *diferente funcionalidade* dos princípios e das regras: as regras consistem em normas com pretensão de solucionar conflitos entre bens e interesses, por isso possuindo *caráter "prima facie" forte e superabilidade mais rígida* (isto é, as razões geradas pelas regras, no confronto com razões contrárias, exigem um ônus argumentativo maior para serem superadas); os princípios

128. Robert Alexy, *Theorie der Grundrechte*, p. 89.

consistem em normas com pretensão de complementariedade, pois isso tendo *caráter "prima facie" fraco e superabilidade mais flexível* (isto é, as razões geradas pelos princípios, no confronto com razões contrárias, exigem um ônus argumentativo menor para serem superadas).

Conexo a essa questão está o conflito entre normas, especialmente entre princípios e regras. Normalmente, afirma-se que, quando houver colisão entre um princípio e uma regra, vence o primeiro. A concepção defendida neste trabalho segue percurso diverso. Em primeiro lugar, é preciso verificar se há diferença hierárquica entre as normas: entre uma norma constitucional e uma norma infraconstitucional deve prevalecer a norma hierarquicamente superior, pouco importando a espécie normativa, se princípio ou regra. Por exemplo, se houver conflito entre uma regra constitucional e um princípio legal, deve prevalecer a primeira; e se houver um conflito entre uma regra legal e um princípio constitucional, deve prevalecer o segundo. Isso quer dizer que a prevalência, nessas hipóteses, não depende da espécie normativa, mas da hierarquia. No entanto, se as normas forem de mesmo nível hierárquico, e ocorrer um autêntico conflito, deve ser dada primazia à regra. Por exemplo, se houver um conflito entre o princípio da liberdade de manifestação do pensamento e a regra de imunidade dos livros, deve ser atribuída prevalência à regra de imunidade. Caso contrário, seria sustentável a imunidade de obras de arte, porque também elas servem de veículo para a manifestação da liberdade de manifestação do pensamento. É preciso enfatizar que, no exemplo referido, melhor seria falar de *conexão substancial* entre as normas do que em conflito. Em vez de oposição, há complementação. Há uma justificação recíproca entre a regra e o princípio: a interpretação da regra depende da simultânea interpretação do princípio, e vice-versa.

A única hipótese aparentemente plausível de atribuir "prevalência" a um princípio constitucional em detrimento de uma regra constitucional seria a de ser constatada uma razão extraordinária que impedisse a aplicação da regra. Por exemplo, a existência de um conflito entre o princípio da dignidade humana e a regra que estabelece ordem de pagamento dos precatórios. Nesse caso, porém, a regra deixaria de ser aplicada porque existiria uma razão extraordinária que impediria sua aplicação, tendo em vista o postulado da razoabilidade. Rigorosamente, porém, seria mais correto falar em inexistência de conflito, pois não haveria duas normas finalmente aplicáveis, mas uma só, ao contrário do que acontece num autêntico conflito, em que duas normas inicialmente aplicáveis permanecem assim até o final do conflito, devendo o aplicador optar por uma delas, diante do caso concreto.

2.4.7.2 Eficácia externa

A eficácia externa das regras é preponderantemente a de estabelecer condutas (regras de conduta, *behavioral rules, Handlungssätze*) e a de atribuir a um determinado sujeito a propriedade de ser competente para realizar determinado ato jurídico sobre uma matéria dada (regras de competência, *competence norms* ou *power conferring rules, Kompetenzregel*).[129]

Depois de analisadas a estrutura e a eficácia dos princípios e das regras, é preciso investigar o modo pelo qual eles são aplicados. Passemos, pois, ao exame dos postulados normativos.

129. Aulis Aarnio, "Reason and Authority. A Treatise on the Dynamic Paradigm of Legal Dogmatics", pp. 160 e ss.; Jordi Ferrer Beltrán, "Las normas de competencia", p. 127.

3
POSTULADOS NORMATIVOS

3.1 Definição de postulado normativo aplicativo. 3.2 Diretrizes para a análise dos postulados normativos aplicativos: 3.2.1 Necessidade de levantamento de casos cuja solução tenha sido tomada com base em algum postulado normativo – 3.2.2 Análise da fundamentação das decisões para verificação dos elementos ordenados e da forma como foram relacionados entre si – 3.2.3 Investigação das normas que foram objeto de aplicação e dos fundamentos utilizados para a escolha de determinada aplicação – 3.2.4 Realização do percurso inverso: descoberta a estrutura exigida na aplicação do postulado, verificação da existência de outros casos que deveriam ter sido decididos com base nele. 3.3 Espécies de postulados: 3.3.1 Considerações gerais – 3.3.2 Postulados inespecíficos: 3.3.2.1 Ponderação – 3.3.2.2 Concordância prática – 3.3.2.3 Proibição de excesso – 3.3.3 Postulados específicos: 3.3.3.1 Igualdade – 3.3.3.2 Razoabilidade: 3.3.3.2.1 Generalidades – 3.3.3.2.2 Tipologia: 3.3.3.2.2.1 Razoabilidade como eqüidade – 3.3.3.2.2.2 Razoabilidade como congruência – 3.3.3.2.2.3 Razoabilidade como equivalência – 3.3.3.2.2.4 Distinção entre razoabilidade e proporcionalidade – 3.3.3.3 Proporcionalidade: 3.3.3.3.1 Considerações gerais – 3.3.3.3.2 Aplicabilidade: 3.3.3.3.2.1 Relação entre meio e fim – 3.3.3.3.2.2 Fins internos e fins externos – 3.3.3.3.3 Exames inerentes à proporcionalidade: 3.3.3.3.3.1 Adequação – 3.3.3.3.3.2 Necessidade – 3.3.3.3.3.3 Proporcionalidade em sentido estrito – 3.3.3.3.4 Intensidade do controle dos outros Poderes pelo Poder Judiciário.

3.1 Definição de postulado normativo aplicativo

Até aqui este trabalho dedicou-se à investigação de princípios que, como tais, estabelecem fins a serem buscados. A partir de agora não será mais examinado o dever de promover a realização de um estado de coisas, mas o modo como esse dever deve ser aplicado. Superou-se o âmbito das normas para adentrar o terreno nas metanormas. Esses deveres situam-se num segundo grau e estabelecem a estrutura de aplicação de outras normas, princípios e regras. Como tais, eles permitem verificar os casos em que há violação às normas cuja aplicação estruturam. Só elipticamente é que se pode afirmar que são violados os postulados da razoabilidade, da proporcionalidade ou da eficiência, por exemplo. A rigor, violadas são as normas – princípios e regras – que deixaram de ser devidamente aplicadas.

Com efeito, no caso em que o Supremo Tribunal Federal declarou inconstitucional lei estadual que determinava a pesagem de botijões de gás à vista do consumidor, o princípio da livre iniciativa foi considerado violado, por ter sido restringido de modo desnecessário e desproporcional.[1] Rigorosamente, não é a *proporcionalidade* que foi violada, mas o princípio da livre iniciativa, na sua inter-relação horizontal com o princípio da defesa do consumidor, que deixou de ser aplicado adequadamente. Da mesma forma, no caso em que o Supremo Tribunal Federal declarou inválida ordem judicial para submissão do paciente ao exame de DNA, foi considerada violada a dignidade humana do paciente, por essa ter sido restringida de forma desnecessária e desproporcional.[2] Rigorosamente, não é a *proporcionalidade* que foi violada, mas o princípio da dignidade humana, na sua inter-relação horizontal com os princípios da autodeterminação da personalidade e da universalidade da jurisdição, que deixaram de ser aplicados adequadamente. Com a razoabilidade dá-se o mesmo, como será adiante demonstrado.

Essas considerações levam ao entendimento de que os postulados normativos situam-se num plano distinto daquele das normas cuja aplicação estruturam. A violação deles consiste na não-intepretação de acordo com sua estruturação. São, por isso, metanormas, ou normas de segundo grau. O qualificativo de *normas de segundo grau*, porém, não deve levar à conclusão de que os postulados normativos funcionam como qualquer norma que fundamenta a aplicação de outras normas, a exemplo do que ocorre no caso de sobreprincípios como o princípio do Estado de Direito ou do devido processo legal. Isso porque esses sobreprincípios situam-se no próprio nível das normas que são objeto de aplicação, e não no nível das normas que estruturam a aplicação de outras. Além disso, os sobreprincípios funcionam como fundamento, formal e material, para a instituição e atribuição de sentido às normas

1. ADIn 855-2, rel. Min. Sepúlveda Pertence, *DJU* 1.10.1993.
2. HC 76.060-SC, rel. Min. Sepúlveda Pertence, *DJU* 15.5.1998, p. 44.

hierarquicamente inferiores, ao passo que os postulados normativos funcionam como estrutura para aplicação de outras normas.

A definição de postulados normativos aplicativos como deveres estruturantes da aplicação de outras normas coloca em pauta a questão de saber se eles podem ser considerados como princípios ou regras. Alexy não enquadra a proporcionalidade diretamente em uma categoria específica, pois utiliza, para sua definição, o termo *princípio* (*Grundsatz*), limitando-se a afirmar, em nota de rodapé, que as máximas parciais podem ser enquadradas no conceito de regras.[3] A maior parte da doutrina enquadra-os, sem explicações, na categoria dos princípios.

As considerações feitas acima apontam em sentido diverso. Como os postulados situam-se em um nível diverso do das normas objeto de aplicação, defini-los como princípios ou como regras contribuiria mais para confundir do que para esclarecer. Além disso, o funcionamento dos postulados difere muito do dos princípios e das regras. Com efeito, os princípios são definidos como normas imediatamente finalísticas, isto é, normas que impõem a promoção de um estado ideal de coisas por meio da prescrição indireta de comportamentos cujos efeitos são havidos como necessários àquela promoção. Diversamente, os postulados, de um lado, não impõem a promoção de um fim, mas, em vez disso, estruturam a aplicação do dever de promover um fim; de outro, não prescrevem indiretamente comportamentos, mas modos de raciocínio e de argumentação relativamente a normas que indiretamente prescrevem comportamentos. Rigorosamente, portanto, não se podem confundir princípios com postulados.

As regras, a seu turno, são normas imediatamente descritivas de comportamentos devidos ou atributivas de poder. Distintamente, os postulados não descrevem comportamentos, mas estruturam a aplicação de normas que o fazem. Mesmo que as regras fossem definidas como normas que prescrevem, proíbem ou permitem o que deve ser feito, devendo sua conseqüência ser implementada, mediante subsunção, caso a sua hipótese seja preenchida, como o fazem Dworkin e Alexy, ainda assim a complexidade dos postulados se afastaria desse modelo dual. A análise dos postulados de razoabilidade e de proporcionalidade, por exemplo, está longe de exigir do aplicador uma mera atividade

3. *Theorie der Grundrechte*, 2ª ed., p. 100. Sobre o assunto, enxergando uma posição clara de Alexy em favor da proporcionalidade como regra, v.: Martin Borowsky, *Grundrechte als Prinzipien*, p. 77; Laura Clérico, *Die Struktur der Verhältnismässigkeit*, p. 21; Luís Virgílio Afonso da Silva, "O Proporcional e o Razoável", *RT* 798/27.

subsuntiva. Eles demandam, em vez disso, a ordenação e a relação entre vários elementos (meio e fim, critério e medida, regra geral e caso individual), e não um mero exame de correspondência entre a hipótese normativa e os elementos de fato. A possibilidade de, no final, requerer uma aplicação integral não elimina o uso diverso na preparação da decisão. Também os princípios, ao final do processo aplicativo, exigem o cumprimento integral. E a circunstância de todas as espécies normativas serem voltadas, em última instância, para o comportamento humano não elimina a importância de explicar os procedimentos completamente distintos que preparam e fundamentam sua descoberta.

As dificuldades de enquadramento da proporcionalidade, por exemplo, na categoria de regras e princípios evidenciam-se nas próprias concepções daqueles que a inserem em tais categorias. Mesmo os adeptos da compreensão dos aqui denominados *postulados normativos aplicativos* como regras de segundo grau reconhecem que eles, ao lado do deveres de otimização, seriam uma *forma específica de regras* (*eine besondere Form von Regeln*).[4] Também os adeptos de sua compreensão como princípios reconhecem que eles funcionam como máxima ou *topos* argumentativo que mescla o caráter de regras e de princípios.[5] Outros já os enquadram, com sólida argumentação, na categoria de princípios distintos, denominados de *princípios de legitimação*.[6] Há, ainda, aqueles que os representam como normas metódicas.[7]

Essas considerações levam ao entendimento de que esses deveres merecem uma caracterização à parte e, por conseqüência, também uma denominação distinta. Neste trabalho eles são denominados de *postulados normativos aplicativos*. A denominação é secundária. O decisivo é constatar e fundamentar sua diferente operacionalidade.

3.2 Diretrizes para a análise dos postulados normativos aplicativos

Considerando a definição de *postulados* como normas estruturantes da aplicação de princípios e regras, propõem-se os seguintes passos para sua investigação.

4. Cf.: Martin Borowsky, *Grundrechte als Prinzipien*, p. 91; Jan-Reinard Sieckmann, *Regelmodelle und Prinzipien-modelle des Rechtssystems*, p. 84.

5. Willis S. Guerra Filho, *Teoria da Ciência Jurídica*, pp. 136 e 153.

6. Ricardo Lobo Torres, "A legitimação dos direitos humanos e os princípios da ponderação e da razoabilidade", in Ricardo Lobo Torres (org.), *Legitimação dos Direitos Humanos*, p. 432.

7. Lothar Michael, *Der allgemeine Gleichheitssatz als Methodennorm komparativer Systeme*, pp. 42 e ss.

3.2.1 *Necessidade de levantamento de casos cuja solução tenha sido tomada com base em algum postulado normativo*

A investigação dos postulados normativos inicia-se com a análise jurisprudencial. É preciso encontrar casos que tenham sido solucionados mediante a aplicação dos postulados em análise. A importância da proporcionalidade e da razoabilidade, por exemplo, cresce a cada dia na jurisprudência brasileira. Não são poucos os acórdãos que as utilizam.

Bem concretamente, isso significa (a) investigar a jurisprudência dos Tribunais Superiores, em busca de decisões que tenham mencionado a utilização de postulados normativos; (b) obter a íntegra dos acórdãos em que são mencionados os referidos postulados.

3.2.2 *Análise da fundamentação das decisões para verificação dos elementos ordenados e da forma como foram relacionados entre si*

Depois disso, é necessário analisar a fundamentação das decisões, com a finalidade de encontrar quais os elementos que foram ordenados e como foram relacionados entre si. Como já foi referido, os postulados normativos estruturam a aplicação de outras normas. Sendo assim, é de todo imprescindível verificar quais normas foram aplicadas, e como o foram. Por exemplo, o postulado da razoabilidade é utilizado na aplicação da igualdade, para exigir uma relação de congruência entre o critério distintivo e a medida discriminatória. O exame da decisão permite verificar que há dois elementos analisados, critério e medida, e uma determinada relação de congruência exigida entre eles.

Bem especificamente, isso significa (a) analisar as decisões e verificar os elementos ou grandezas que foram manipulados; (b) verificar quais as relações consideradas essenciais entre eles.

3.2.3 *Investigação das normas que foram objeto de aplicação e dos fundamentos utilizados para a escolha de determinada aplicação*

Como os postulados são deveres que estruturam a aplicação de normas jurídicas, é importante examinar não só quais foram as normas objeto de aplicação, como, também, a fundamentação da decisão. Por exemplo, o postulado da proporcionalidade exige que as medidas adotadas pelo Poder Público sejam adequadas, necessárias e proporcionais em sentido estrito. No caso em que o Supremo Tribunal Federal decidiu pela inconstitucionalidade de uma lei estadual que determinava utilização de balança especial para a pesagem de botijões de gás à vista do consumidor, o Tribunal analisou o meio utilizado (determinação da utilização de balanças), o fim buscado (princípio da proteção dos consumidores) e o princípio colateralmente restringido (princípio da livre iniciativa). Segundo se depreende pela leitura da íntegra do acórdão, a recorrente alegava que o meio não era totalmente adequado à promoção do fim (segundo parecer do INMETRO, as balanças seriam impróprias para medir o conteúdo dos botijões, pois o uso dos manômetros não atendia à finalidade proposta, por ser a indicação do gás liquefeito de petróleo em massa e não em unidade de pressão), outros meios menos restritivos poderiam ter sido escolhidos (lacre, selo, vigilância) e as desvantagens (dispêndio com a compra das balanças, repasse dos custos para o preço dos botijões, necessidade de deslocamento do consumidor até o veículo transportador) superavam as vantagens (maior controle do conteúdo dos botijões, proteção da confiança dos consumidores).[8] Enfim, o exame do acórdão permite verificar os elementos analisados e as relações exigidas entre eles.

Em pormenor, isso significa (a) verificar os elementos ou grandezas que foram manipulados; (b) encontrar os motivos que levaram os Julgadores a entender existentes ou inexistentes determinadas relações entre eles.

3.2.4 Realização do percurso inverso: descoberta a estrutura exigida na aplicação do postulado, verificação da existência de outros casos que deveriam ter sido decididos com base nele

O primeiro passo no exame dos postulados, como já foi referido, é a análise de decisões que os tenham utilizado expressamente. Casos há, porém, em que determinado postulado é utilizado sem que ele seja expressamente mencionado. Em outros casos, embora presentes os elementos e a obrigação de estabelecer um modo específico de relação entre eles, o postulado não é utilizado. Noutros casos, ainda, existe a menção expressa a determinado postulado, mas os elementos e a relação entre eles são diversos dos elementos e das relações existentes em casos decididos supostamente com base no mesmo postulado. Em face dessas considerações, é preciso, depois de desveladas as hipóteses de

8. ADIn 855-2, rel. Min. Sepúlveda Pertence, *DJU* 1.10.1993.

aplicação típica dos postulados, refazer a pesquisa, dessa feita não mediante a busca do postulado como palavra-chave, mas por meio da busca dos elementos e das relações que servem de suposto à sua aplicação.

Simplificadamente, isso significa (a) refazer a pesquisa jurisprudencial mediante a busca de outras palavras-chave; (b) analisar criticamente as decisões encontradas, reconstruindo-as argumentativamente de acordo com o postulado em exame, de modo a evidenciar a falta de uso ou seu uso inadequado.

3.3 Espécies de postulados

3.3.1 Considerações gerais

Os postulados normativos foram definidos como deveres estruturais, isto é, como deveres que estabelecem a vinculação entre *elementos* e impõem determinada *relação* entre eles. Nesse aspecto, podem ser considerados formais, pois dependem da conjugação de razões substanciais para sua aplicação.

Os postulados não funcionam todos da mesma forma. Alguns postulados são aplicáveis independentemente dos elementos que serão objeto de relacionamento. Como será demonstrado, a ponderação exige sopesamento de quaisquer elementos (bens, interesses, valores, direitos, princípios, razões) e não indica como deve ser feito esse sopesamento. Os elementos e os critérios não são específicos. A concordância prática funciona de modo semelhante: exige-se a harmonização entre elementos, sem dizer qual a espécie desses elementos. Os elementos a serem objeto de harmonização são indeterminados. A proibição de excesso também estabelece que a realização de um elemento não pode resultar na aniquilação de outro. Os elementos a serem objeto de preservação mínima não são indicados. Da mesma forma, o postulado da otimização estabelece que determinados elementos devem ser maximizados, sem dizer quais, nem como.

Nessas hipóteses os postulados normativos exigem o relacionamento entre elementos, sem especificar, porém, quais são os elementos e os critérios que devem orientar a relação entre eles. São postulados normativos eminentemente formais. Constituem-se, pois, em meras idéias gerais, despidas de critérios orientadores da aplicação,[9] razão

9. Aleksander Peczenik, "The passion for reason", in *The Law in Philosophical Perspectives*, p. 184.

pela qual são denominados, neste estudo, de *postulados inespecíficos* (ou incondicionais).

A aplicação de outros postulados já depende da existência de determinados elementos e é pautada por determinados critérios. A igualdade somente é aplicável em situações nas quais haja o relacionamento entre dois ou mais sujeitos em função de um critério discriminador que serve a alguma finalidade. Sua aplicabilidade é condicionada à existência de elementos específicos (sujeitos, critério de discrímen e finalidade). A razoabilidade somente é aplicável em situações em que se manifeste um conflito entre o geral e o individual, entre a norma e a realidade por ela regulada, e entre um critério e uma medida. Sua aplicabilidade é condicionada à existência de elementos específicos (geral e individual, norma e realidade, critério e medida). A proporcionalidade somente é aplicável nos casos em que exista uma relação de causalidade entre um meio e um fim. Sua aplicabilidade está condicionada à existência de elementos específicos (meio e fim).

Nessas hipóteses os postulados normativos exigem o relacionamento entre elementos específicos, com critérios que devem orientar a relação entre eles. Também são postulados normativos formais, mas relacionados a elementos com espécies determinadas, razão pela qual são denominados, neste estudo, de *postulados específicos* (ou condicionais).

3.3.2 Postulados inespecíficos

3.3.2.1 Ponderação

A *ponderação de bens* consiste num método destinado a atribuir pesos a elementos que se entrelaçam, sem referência a pontos de vista materiais que orientem esse sopesamento. Fala-se, aqui e acolá, em ponderação de bens, de valores, de princípios, de fins, de interesses. Para este trabalho é importante registrar que a ponderação, sem uma estrutura e sem critérios materiais, é instrumento pouco útil para a aplicação do Direito. É preciso estruturar a ponderação com a inserção de critérios.[10] Isso fica evidente quando se verifica que os estudos sobre a ponderação invariavelmente procuram estruturar a ponderação com os postulados de razoabilidade e de proporcionalidade e direcionar a ponderação mediante utilização dos princípios constitucionais fundamentais. Nesse aspecto, a ponderação, como mero método ou idéia geral

10. Wilson Antônio Steinmetz, *Colisão de Direitos Fundamentais e o Princípio da Proporcionalidade*, p. 143.

despida de critérios formais ou materiais, é muito mais ampla que os postulados da proporcionalidade e da razoabilidade.[11]

Importa ter em conta também a importância de separar os elementos que são objeto de ponderação, os quais, ainda que sejam relacionados entre si, podem ser dissociados. Os *bens jurídicos* são situações, estados ou propriedades essenciais à promoção dos princípios jurídicos.[12] Por exemplo, o princípio da livre iniciativa pressupõe, como condição para sua realização, liberdade de escolha e autonomia. Liberdade e autonomia são bens jurídicos protegidos pelo princípio da livre iniciativa. Os *interesses* são os próprios bens jurídicos na sua vinculação com algum sujeito que os pretende obter. Por exemplo, sendo liberdade e autonomia bens jurídicos, protegidos pelo princípio da livre iniciativa, algum sujeito pode ter, em função de determinadas circunstâncias, condições de usufruir daquela liberdade e autonomia. Liberdade e autonomia passam, então, a integrar a esfera de interesses de determinado sujeito. Os *valores* constituem o aspecto axiológico das normas, na medida em que indicam que algo é bom e, por isso, digno de ser buscado ou preservado.[13] Nessa perspectiva, a liberdade é um valor, e, por isso, deve ser buscada ou preservada. Os *princípios* constituem o aspecto deontológico dos valores, pois, além de demonstrarem que algo vale a pena ser buscado, determinam que esse estado de coisas deve ser promovido.

Quando se utiliza a expressão "ponderação", todos os elementos acima referidos são dignos de ser objeto de sopesamento. O importante, todavia, é conhecer a sutil diferença entre eles. A clareza agradece.

Pode-se, no entanto, sejam quais forem os elementos objeto de ponderação, evoluir para uma ponderação intensamente estruturada, que poderá ser utilizada na aplicação dos postulados específicos. Para atingir esse desiderato, algumas etapas são fundamentais.[14]

A primeira delas é a da *preparação da ponderação* (*Abwägungsvorbereitung*). Nessa fase devem ser analisados todos os elementos e argumentos, o mais exaustivamente possível.[15] É comum proceder-se a

11. José M. Rodríguez de Santiago, *La Ponderación de Bienes e Intereses en el Derecho Administrativo*, p. 111.

12. Michael Marx, *Zur Definition des Begriffs "Rechtsgut": Prolegomena einer materialen Verbrechenslehre*, p. 68.

13. Robert Alexy, "Rechtsregeln und Rechtsprinzipien", *Archives Rechts und Sozialphilosophie*, Beiheft 25/24.

14. Laura Clérico, *Die Struktur der Verhältnismäßigkeit*, p. 165; José M. Rodríguez de Santiago, *La Ponderación de bienes ...*, pp. 117 e ss.

15. Jürgen Habermas, *Faktizität und Geltung*, p. 317.

uma ponderação sem indicar, de antemão, o que, precisamente, está sendo objeto de sopesamento. Isso, evidentemente, viola o postulado científico da explicitude das premissas, bem como o princípio jurídico da fundamentação das decisões, ínsito ao conceito de Estado de Direito.

A segunda etapa é a da *realização da ponderação* (*Abwägung*), em que se vai fundamentar a relação estabelecida entre os elementos objeto de sopesamento. No caso da ponderação de princípios, essa deve indicar a relação de primazia entre um e outro.

A terceira etapa é a da *reconstrução da ponderação* (*Rekonstruktion der Abwägung*), mediante a formulação de regras de relação, inclusive de primazia entre os elementos objeto de sopesamento, com a pretensão de validade para além do caso.

Vários podem ser os critérios de ponderação. Especial atenção deve ser dada aos princípios constitucionais e às regras de argumentação que podem ser construídas a partir deles, como a de que os argumentos lingüísticos e sistemáticos devem ter primazia sobre os históricos, genéticos e meramente pragmáticos.[16]

3.3.2.2 Concordância prática

Nesse contexto, também aparece a concordância prática como a finalidade que deve direcionar a ponderação: o dever de realização máxima de valores que se imbricam. Esse postulado surge da coexistência de valores que apontam total ou parcialmente para sentidos contrários. Daí se falar em dever de harmonizar os valores de modo que eles sejam protegidos ao máximo. Como existe uma relação de tensão entre os princípios e as regras constitucionais, especialmente entre aqueles que protegem os cidadãos e aqueles que atribuem poderes ao Estado, deve ser buscado um equilíbrio entre eles. A esse respeito, Dürig fala do dever de buscar uma *síntese dialética* entre as normas imbricadas, com a finalidade de encontrar uma otimização entre os valores em conflito.[17]

Nem a ponderação nem a concordância prática indicam, porém, os critérios formais ou materiais por meio dos quais deve ser feita a

16. Humberto Ávila, "Argumentação jurídica e a imunidade do livro eletrônico", *RDTributário* 79/163 e ss., e *Materiell verfassungsrechtliche Beschränkungen der Besteuerungsgewalt in der brasilianischen Verfassung und im deutschen Grundgesetz*, pp. 375 e ss.

17. In Munz, Dürig, Herzog e Scholz, *Grundgesetz Kommentar*, art. 3, Abs. I, Rdnr. 121 e 128.

promoção das finalidades entrelaçadas. Consubstanciam estruturas exclusivamente formais e despidas de critérios. Como será oportunamente investigado, são os postulados da razoabilidade e da proporcionalidade que permitem estruturar a realização das normas constitucionais.

3.3.2.3 Proibição de excesso

A promoção das finalidades constitucionalmente postas possui, porém, um limite. Esse limite é fornecido pelo postulado da proibição de excesso. Muitas vezes denominado pelo Supremo Tribunal Federal como uma das facetas do princípio da proporcionalidade, o postulado da proibição de excesso proíbe a restrição excessiva de qualquer direito fundamental.

A proibição de excesso está presente em qualquer contexto em que um direito fundamental esteja sendo restringido. Por isso, deve ser investigada separadamente do postulado da proporcionalidade: sua aplicação não pressupõe a existência de uma relação de causalidade entre um meio e um fim. O postulado da proibição de excesso depende, unicamente, de estar um direito fundamental sendo excessivamente restringido.

A realização de uma regra ou princípio constitucional não pode conduzir à restrição a um direito fundamental que lhe retire um mínimo de eficácia. Por exemplo, o poder de tributar não pode conduzir ao aniquilamento da livre iniciativa. Nesse caso, a ponderação de valores indica que a aplicação de uma norma, regra ou princípio (competência estatal para instituir impostos) não pode implicar a impossibilidade de aplicação de uma outra norma, princípio ou regra (proteção da propriedade privada).[18] Alguns casos podem melhor esclarecer a questão.

A 2ª Turma do Supremo Tribunal Federal decidiu por negar provimento a recurso extraordinário por entender excessiva e desproporcional a majoração do imposto de licença sobre as cabinas de banho. A recorrente aduziu que tal imposição poderia lhe cercear uma atividade lícita e, por isso, estaria colidindo com o princípio da liberdade de qualquer profissão (art. 141, § 14, da CF de 1946).[19] O voto do Ministro Orozimbo Nonato faz referência a decisão da Suprema Corte Americana no sentido de que "o poder de taxar somente pode ser exercido dentro dos limites que o tornem compatível com a liberdade de trabalho,

18. Klaus Tipke, *Die Steuerrechtsordnung*, pp. 232-423.

19. RE 18.331-SP, rel. Min. Orozimbo Nonato, *DJU* 21.9.1951.

de comércio e de indústria e com o direito de propriedade". Sendo assim, mesmo considerando o imposto "imodesto", o Ministro reconheceu ser ele exigível, pois o mesmo não estaria "aniquilando a atividade particular" – fato que seria determinante para o reconhecimento do excesso na majoração.

Noutro julgamento o Plenário do Supremo Tribunal Federal decidiu por deferir medida liminar que suscitava a inconstitucionalidade de lei estadual que elevava os valores de taxa judiciária. Tal lei estadual "estaria violando os arts. 153, §§ 30 e 32; 19, I; e 8º, XVII, 'c'", da Constituição então vigente.[20] O fato de a taxa judiciária ter sido elevada em 827% impediria o acesso ao Judiciário de uma grande parcela da população. O Relator acolheu os argumentos do autor, sustentando, ainda, a necessidade de proteção ao interesse público (acesso à prestação jurisdicional) e, também, a possibilidade de danos irreparáveis caso não fosse concedida a medida liminar.

Noutro caso, a 1ª Turma do Supremo Tribunal Federal decidiu dar parcial provimento a recurso extraordinário que se insurgia contra a decisão do Tribunal *a quo* que determinava o pagamento do "imposto do selo dos empréstimos registrados em conta corrente sem contrato escrito, na conformidade do art. 49 da Tabela Anexa ao Regulamento do Selo (Decreto-lei n. 4.655/1942)". A decisão do Tribunal *a quo* também mantinha a multa pelo não-pagamento do imposto no valor de 50 vezes o valor do selo. O Tribunal reconheceu o direito à cobrança do imposto do selo, mas modificou o entendimento em relação ao valor da multa, considerando-a excessiva (50 vezes o valor do selo).[21]

Em todos esses casos o Supremo Tribunal Federal não investigou a legitimidade da finalidade, nem a necessidade da adoção das medidas, e muito menos a existência de finalidades públicas que pudessem justificar as medidas adotadas. Não houve exame da adequação, da necessidade e da proporcionalidade, em sentido estrito, em função de uma relação entre meio e fim. Em vez disso, o Tribunal apenas verificou que nenhuma medida pode restringir excessivamente um direito fundamental, sejam quais forem as razões que a motivem. Daí se falar em proibição de excesso como limite, separadamente do postulado da proporcionalidade.[22]

20. Repr. 1.077-5-RJ, rel. Min. Moreira Alves, *DJU* 26.2.1981.

21. RE 47.937-GB, *DJU* 19.11.1962.

22. Humberto Bergmann Ávila, "Estatuto do Contribuinte: conteúdo e alcance", *Revista da Associação Brasileira de Direito Tributário* 7/73-104, e *Materiell*

Além disso, é plausível imaginar casos em que a medida adotada pelo Poder Público seja considerada proporcional sem que o núcleo essencial de um direito fundamental seja atingido e a medida, por conseqüência, seja considerada excessiva.

Vamos a um exemplo. O Poder Público, para proteger os consumidores, obriga os supermercados de uma determinada região a etiquetar todos os produtos vendidos em seus estabelecimentos. A medida serve de meio para promover um fim – qual seja, a proteção dos consumidores. A adoção da medida causa uma restrição ao direito de livre exercício de atividade econômica dos supermercados. Como a situação envolve uma relação de causalidade entre um meio e um fim concreto, tem aplicabilidade o postulado da proporcionalidade. Procedendo-se ao exame da adequação, pode-se concluir que os efeitos da medida adotada contribuem para a gradual realização do fim. Etiquetar os produtos contribui para proteger os consumidores. Pondo em prática o exame da necessidade, é plausível concluir pela inexistência de outro meio alternativo, se os meios disponíveis não são considerados igualmente adequados para proteger os consumidores. Os efeitos da implantação do código de barras promovem menos intensamente a proteção da maioria dos consumidores do que a obrigação de etiquetar cada produto. A obrigação de etiquetar os produtos é necessária. E, contrapondo-se as vantagens e as desvantagens da adoção da medida, pode-se chegar à conclusão de que, apesar de não haver outro meio igualmente adequado para proteger os consumidores, ainda assim o *grau de restrição* causada ao princípio do livre exercício da atividade econômica pela obrigação de colocar etiquetas em todos os produtos (custos administrativos, trabalho humano de etiquetar e novamente etiquetar quando os preços mudam, repasse dos custos para os preços dos produtos, abandono do moderno sistema de código de barras) é desproporcional ao grau de promoção do princípio da proteção dos consumidores (proteção de uma minoria desatenta de consumidores em detrimento da média dos consumidores, que é protegida por outros meios já existentes). Enfim, a medida, apesar de adequada e necessária, é desconsiderada desproporcional em sentido estrito.

Sem adentrar o mérito da solução imaginada, a contribuição do exemplo consiste em demonstrar que os três exames inerentes à proporcionalidade (adequação, necessidade e proporcionalidade em senti-

verfassungsrechtliche ..., p. 75. Neste ponto, com precisão: Luís Virgílio Afonso da Silva, "O Proporcional e o Razoável", *RT* 798/27.

do estrito) foram feitos sem que em momento algum fosse cogitada a restrição ao núcleo essencial do princípio do livre exercício da atividade econômica. Os supermercados não irão à ruína, seu conjunto de direitos de liberdade não será aniquilado; e, ainda assim, a medida foi declarada desproporcional. É dizer: a medida foi considerada desproporcional sem ser excessiva no sentido de adentrar o núcleo inviolável dos direitos fundamentais. Isso significa, em síntese, que pode haver exame por meio do postulado da proporcionalidade sem qualquer controle por meio do postulado da proibição de excesso. E pode haver controle por meio do postulado da proibição de excesso sem que haja controle por meio do postulado da proporcionalidade, como ocorre, por exemplo, nos casos acima mencionados de tributação com finalidade fiscal, em que não há relação de causalidade entre um meio e um fim concreto, e mesmo assim foi constatada a excessividade das medidas adotadas. Enfim, são postulados distintos, porque com aplicabilidade diversa.

Para compreender a distinção entre o postulado da proporcionalidade e o postulado da proibição de excesso é preciso verificar que o primeiro opera num âmbito *a partir do qual* o núcleo essencial do princípio fundamental restringido está preservado. Numa representação poderíamos imaginar um grande círculo representando os graus de intensidade da restrição de um princípio fundamental de liberdade, dentro do qual outros círculos concêntricos menores estão inseridos, até chegar ao círculo central menor cujo anel representa o núcleo inviolável. A finalidade pública poderia justificar uma restrição situada da coroa mais externa até aquela mais interna, dentro da qual é proibido adentrar. Pois bem. O postulado da proporcionalidade em sentido estrito opera entre o limite da coroa mais interna e o da coroa mais externa, e compara o grau de restrição da liberdade com o grau de promoção da finalidade pública, para permitir a declaração de invalidade uma medida que causa restrição *demais* para promoção *de menos*. Para efeitos didáticos, seria como afirmar que a promoção de uma finalidade pública equivalente ao grau 1 não justifica uma restrição a um princípio fundamental equivalente ao grau 4. A medida, nessa hipótese, seria desproporcional em sentido estrito. A proibição de excesso apenas indicaria, por suposição, que nenhuma restrição poderia equivaler ao grau 5, pois ele representaria o anel central não passível de invasão, independentemente da sua finalidade justificativa e do grau de intensidade da sua realização.

Todas essas considerações, cuja compreensão exige boa dose de imaginação, têm a exclusiva finalidade de demonstrar que o método de controle exigido pelo postulado da proibição de excesso é diverso do controle determinado pelo postulado da proporcionalidade. Sendo diversa a estrutura de controle, o amor à clareza conduz à adoção de terminologia também diversa. Essas estruturas – enfatize-se a mais não poder – podem ser explicadas de maneiras diferentes e com nomenclaturas coincidentes. Isso é uma coisa. O que não se pode – saliente-se ao máximo – é baralhá-las pelo emprego do mesmo nome. O que é outra coisa.

3.3.3 Postulados específicos

3.3.3.1 Igualdade

A igualdade pode funcionar como regra, prevendo a proibição de tratamento discriminatório; como princípio, instituindo um estado igualitário como fim a ser promovido; e como postulado, estruturando a aplicação do Direito em função de elementos (critério de diferenciação e finalidade da distinção) e da relação entre eles (congruência do critério em razão do fim).

A concretização do princípio da igualdade depende do critério-medida objeto de diferenciação.[23] Isso porque o princípio da igualdade, ele próprio, nada diz quanto aos bens ou aos fins de que se serve a igualdade para diferenciar ou igualar as pessoas. As pessoas ou situações são iguais ou desiguais em função de um critério diferenciador. Duas pessoas são formalmente iguais ou diferentes em razão da idade, do sexo ou da capacidade econômica. Essa diferenciação somente adquire relevo *material* na medida em que se lhe agrega uma finalidade, de tal sorte que as pessoas passam a ser iguais ou diferentes de acordo com um mesmo critério, dependendo da finalidade a que ele serve. Duas pessoas podem ser iguais ou diferentes segundo o *critério da idade*: devem ser tratadas de modo diferente para votar nalguma eleição, se uma tiver atingido a maioridade não alcançada pela outra; devem ser tratadas igualmente para pagar impostos, porque a concretização dessa finalidade é indiferente à idade. Duas pessoas podem ser consideradas iguais ou diferentes segundo o *critério do sexo*: devem ser havidas como diferentes para obter licença-maternidade se somente uma delas for do sexo feminino; devem ser tratadas igualmente para votar

23. Sobre o tema, cf., por todos, o excelente livro de Celso Antônio Bandeira de Mello, *O Conteúdo Jurídico do Princípio da Igualdade*, 3ª ed., 10ª tir., 2002. Cf., também: Lothar Michael, *Der allgemeine Gleichheitssatz ...*, pp. 42 e ss.

ou pagar impostos, porque a concretização dessas finalidades é indiferente ao sexo. Do mesmo modo, duas pessoas podem ser compreendidas como iguais ou diferentes segundo o *critério da capacidade econômica*: devem ser vistas como diferentes para pagar impostos, se uma delas tiver maior capacidade contributiva; são tratadas igualmente para votar e para a obtenção de licença-maternidade, porque a capacidade econômica é neutra relativamente à concretização dessas finalidades.[24]

Vale dizer que a aplicação da igualdade depende de um *critério diferenciador* e de um *fim* a ser alcançado. Dessa constatação surge uma conclusão, tão importante quanto menosprezada: fins diversos levam à utilização de critérios distintos, pela singela razão de que alguns critérios são adequados à realização de determinados fins; outros, não. Mais do que isso: fins diversos conduzem a medidas diferentes de controle. Há fins e fins no Direito.[25] Como postulado, sua violação reconduz a uma violação de alguma norma jurídica. Os sujeitos devem ser considerados iguais em liberdade, propriedade, dignidade. A violação da igualdade implica a violação a algum princípio fundamental.

3.3.3.2 Razoabilidade

3.3.3.2.1 *Generalidades*

A razoabilidade estrutura a aplicação de outras normas, princípios e regras, notadamente das regras. A razoabilidade é usada com vários sentidos. Fala-se em razoabilidade de uma alegação, razoabilidade de uma interpretação, razoabilidade de uma restrição, razoabilidade do fim legal, razoabilidade da função legislativa.[26] Enfim, a razoabilidade é utilizada em vários contextos e com várias finalidades. Embora as decisões dos Tribunais Superiores não possuam uniformidade terminológica, nem utilizem critérios expressos e claros de fundamentação dos

24. Paul Kirchhof, *Die Verschiedenheit der Menschen und die Gleichheit vor dem Gesetz*, pp. 8 e ss.

25. Vogel/Waldhoff, *Bonner Kommentar zum Grundgesetz*, 81 Lfg., p. 388; Dieter Birk, *Steuerrecht I, Allgemeines Steuerrecht*, 2. Auf, pp. 10-11; Stefan Huster, *Rechte und Ziele: Zur Dogmatik des allgemeinen Gleichheitssatzes*, pp. 149, 166-167 e 210.

26. Sobre a multiplicidade de significados, v.: Gino Scaccia, *Gli "Strumenti" della Ragionevolezza nel Giudizio Costituzionale*, 2000. Sobre o tema, cf. Gustavo Zagrebelsky, "Su tre aspetti della ragionevolleza", in *Il Principio di Ragionevolezza nella Giurisprudenza della Corte Costituzionale*, pp. 179 e ss.; Augusto Cerri, *Corso de Giustizia Costituzionale*, 2ª ed., pp. 233 e ss.

postulados de proporcionalidade e de razoabilidade, ainda assim é possível – até mesmo porque isso se inclui nas finalidades da Ciência do Direito – reconstruir analiticamente as decisões, conferindo-lhes a almejada clareza. Por isso, não se pode afirmar que a falta de utilização expressa de critérios no exame da proporcionalidade e da razoabilidade não permita ao teórico do Direito saber, mediante a reconstrução analítica das decisões, quais são os critérios implicitamente utilizados pela jurisprudência do Supremo Tribunal Federal.[27]

Relativamente à razoabilidade, dentre tantas acepções, três se destacam. Primeiro, a razoabilidade é utilizada como diretriz que exige a relação das normas gerais com as individualidades do caso concreto, quer mostrando sob qual perspectiva a norma deve ser aplicada, quer indicando em quais hipóteses o caso individual, em virtude de suas especificidades, deixa de se enquadrar na norma geral. Segundo, a razoabilidade é empregada como diretriz que exige uma vinculação das normas jurídicas com o mundo ao qual elas fazem referência, seja reclamando a existência de um suporte empírico e adequado a qualquer ato jurídico, seja demandando uma relação congruente entre a medida adotada e o fim que ela pretende atingir. Terceiro, a razoabilidade é utilizada como diretriz que exige a relação de equivalência entre duas grandezas. São essas acepções que passam a ser investigadas.

3.3.3.2.2 *Tipologia*

3.3.3.2.2.1 Razoabilidade como eqüidade – No primeiro grupo de casos o postulado da razoabilidade exige a harmonização da norma geral com o caso individual.

Em primeiro lugar, a razoabilidade impõe, na aplicação das normas jurídicas, a consideração daquilo que normalmente acontece. Alguns casos ilustram essa exigência.

Um advogado requereu o adiamento do julgamento perante o Tribunal do Júri porque era defensor de outro caso rumoroso que seria julgado na mesma época. O primeiro pedido foi deferido. Depois de defender seu cliente, e diante da recomendação de repouso por duas semanas, o advogado requereu novo adiamento do julgamento. Nesse caso, porém, o julgador indeferiu o pedido, por considerar o adiamento um descaso para com a Justiça, presumindo que o advogado estava pretendendo, de forma maliciosa, postergar indevidamente o julgamento.

27. Com diversa compreensão, cf. Luís Virgílio Afonso da Silva, "O Proporcional e o Razoável", *RT* 798/34.

Na data marcada para o julgamento, e mesmo após o réu afirmar que seu advogado não estava presente, o Juiz-Presidente nomeou advogado dativo, que logo assumiu a defesa. Inconformado com o indeferimento do pedido e com o próprio resultado do julgamento, o advogado impetrou *habeas corpus*. Na decisão asseverou-se não parecer fora de razoabilidade que o advogado, que patrocinava causas complexas, cujo julgamento estava ocorrendo com certa contemporaneidade, pudesse pedir o adiamento em razão do que ocorrera no julgamento anterior. Enfim, afirmou-se que é razoável presumir que as pessoas dizem a verdade e agem de boa-fé, em vez mentir ou agir de má-fé. Na aplicação do Direito deve-se presumir o que normalmente acontece, e não o contrário. A defesa apresentada pelo advogado dativo foi considerada nula, em razão de o indeferimento do pedido de adiamento do julgamento feito pelo advogado ter cerceado o *direito de defesa* do réu.[28]

A um Procurador do Estado, que interpôs agravo de instrumento em folha de papel timbrado da Secretaria de Estado dos Negócios da Justiça, foi exigida a comprovação da condição de Procurador pela juntada do título de nomeação para o cargo ou de documento emitido pelo Procurador-Geral do Estado. Alegada a falta de instrumento de mandato, a questão foi levada a julgamento, momento em que se asseverou ser razoável presumir a existência de mandato quando o procurador possui mandato legal. Na interpretação das normas legais deve-se presumir o que normalmente acontece, e não o extraordinário, como a circunstância de alguém se apresentar como procurador do Estado sem que possua, realmente, essa qualificação. Em virtude disso, foi determinado o conhecimento do agravo de instrumento em razão de sua ineficácia afetar diretamente o direito de *ampla defesa* pelo mero fetichismo da forma.[29]

Um instrumento de mandato que esteja subscrito por quem se diz representante da pessoa jurídica de direito público, com menção do cargo ocupado no âmbito da respectiva Administração, não pode ser havido como irregular ou falso. Na interpretação das normas deve-se presumir o que ocorre no dia-a-dia, e não o extravagante.[30]

Nos casos acima referidos a razoabilidade atua como instrumento para determinar que as circunstâncias de fato devem ser consideradas

28. STF, 2ª Turma, HC 71.408-1, rel. Min. Marco Aurélio, *DJU* 29.10.1999.

29. STF, 2ª Turma, RE 192.553-1, rel. Min. Marco Aurélio, *DJU* 16.4.1999.

30. STF, 2ª Turma, EDecl no RE 199.066-0, rel. Min. Marco Aurélio, *DJU* 1.8.1997.

com a presunção de estarem dentro da normalidade. A razoabilidade atua na interpretação dos fatos descritos em regras jurídicas. A razoabilidade exige determinada interpretação como meio de preservar a eficácia de princípios axiologicamente sobrejacentes. Interpretação diversa das circunstâncias de fato levaria à restrição de algum princípio constitucional, como o princípio do devido processo legal, nos casos analisados.

Em segundo lugar, a razoabilidade exige a consideração do aspecto individual do caso nas hipóteses em que ele é sobremodo desconsiderado pela generalização legal. Para determinados casos, em virtude de determinadas especificidades, a norma geral não pode ser aplicável, por se tratar de caso anormal. Um exemplo, já mencionado, ilumina esse dever.

Uma pequena fábrica de sofás, enquadrada como empresa de pequeno porte para efeito de pagamento conjunto dos tributos federais, foi excluída desse mecanismo por ter infringido a condição legal de não efetuar a importação de produtos estrangeiros. De fato, a empresa efetuou uma importação. A importação, porém, foi de quatro pés de sofás, para um só sofá, uma única vez. Recorrendo da decisão, a exclusão foi anulada, por violar a razoabilidade, na medida em que uma *interpretação dentro do razoável* indica que a interpretação deve ser feita "em consonância com aquilo que, para o senso comum, seria aceitável perante a lei".[31] Nesse caso, a regra segundo a qual é proibida a importação para a permanência no regime tributário especial incidiu, mas a conseqüência do seu descumprimento não foi aplicada (exclusão do regime tributário especial), porque a falta de adoção do comportamento por ela previsto não comprometia a promoção do fim que a justifica (estímulo da produção nacional por pequenas empresas). Dito de outro modo: segundo a decisão, o estímulo à produção nacional não deixaria de ser promovido pela mera importação de alguns pés de sofá.

No caso acima referido a regra geral, aplicável à generalidade dos casos, não foi considerada aplicável a um caso individual, em razão da sua anormalidade. Nem toda norma incidente é aplicável. É preciso diferenciar a aplicabilidade de uma regra da satisfação das condições previstas em sua hipótese. Uma regra não é aplicável somente porque as condições previstas em sua hipótese são satisfeitas. Uma regra é aplicável a um caso se, e somente se, suas condições são satisfeitas e sua

31. 2º Conselho de Contribuintes, 2ª Câmara, Processo 13003.000021/99-14, sessão de 18.10.2000.

aplicação não é excluída pela razão motivadora da própria regra ou pela existência de um princípio que institua uma razão contrária. Nessas hipóteses as condições de aplicação da regra são satisfeitas, mas a regra, mesmo assim, não é aplicada.[32] No caso analisado as condições de aplicação da regra foram satisfeitas. No caso a condição de aplicação da regra, segundo a qual o contribuinte deve ser excluído de um mecanismo especial de pagamento de tributos quando efetuar uma importação, foi preenchida. Ainda assim a regra não foi aplicada: o contribuinte não foi excluído *naquele caso*. Essa concepção de razoabilidade corresponde aos ensinamentos de Aristóteles, para quem a natureza da eqüidade consiste em ser um corretivo da lei quando e onde ela é omissa, por ser geral.[33]

Essas considerações levam à conclusão de que a razoabilidade serve de instrumento metodológico para demonstrar que a incidência da norma é condição necessária mas não suficiente para sua aplicação. Para ser aplicável, o caso concreto deve adequar-se à generalização da norma geral. A razoabilidade atua na interpretação das regras gerais como decorrência do princípio da justiça ("Preâmbulo" e art. 3º da CF).

3.3.3.2.2.2 Razoabilidade como congruência – No segundo grupo de casos o postulado da razoabilidade exige a harmonização das normas com suas condições externas de aplicação.

Em primeiro lugar, a razoabilidade exige, para qualquer medida, a recorrência a um suporte empírico existente.[34] Alguns exemplos o comprovam.

Uma lei estadual instituiu adicional de férias de um-terço para os inativos. Levada a questão a julgamento, considerou-se indevido o referido adicional, por traduzir uma vantagem *destituída de causa* e do necessário coeficiente de razoabilidade, na medida em que só deve ter adicional de férias quem tem férias. Como conseqüência disso, a instituição do adicional foi anulada, em razão de violar o devido processo

32. Jaap. C. Hage, *Reasoning with Rules. An Essay on Legal Reasoning and its Underlying Logic*, p. 114.

33. *Etica Nicomachea*, p. 381 (1.137 e ss.).

34. Weida Zancaner, "Razoabilidade e moralidade: princípios concretizadores do perfil constitucional do Estado Social e Democrático de Direito", *Revista Diálogo Jurídico* 9/4 (disponível em *http://www.direitopublico.com.br*).

legal, que atua como decisivo obstáculo à edição de atos legislativos de conteúdo arbitrário ou irrazoável.[35]

Uma lei estadual determinou que os estabelecimentos de ensino expedissem certificados de conclusão do curso e do histórico escolar aos alunos da 3ª série do ensino médio que comprovassem aprovação em vestibular para ingresso em curso de nível superior, independentemente do número de aulas freqüentadas pelo aluno – expedição, essa, a ser providenciada em tempo hábil, de modo que o aluno pudesse matricular-se no curso superior para o qual fora habilitado. O Supremo Tribunal Federal entendeu caracterizada a relevância jurídica da argüição de inconstitucionalidade sustentada pela autora da ação uma vez que a lei impugnada, à primeira vista, revela-se destituída de razoabilidade, pois *inverteu a ordem natural* acadêmica para atribuir aos estudantes, independentemente da freqüência, o direito à expedição da conclusão do ensino médio desde que aprovados em vestibular.[36]

Uma norma constante de Constituição Estadual determinava que o pagamento dos servidores do Estado fosse feito, impreterivelmente, até o décimo dia útil de cada mês. O Supremo Tribunal Federal considerou ser irrazoável que a norma impugnada, para evitar o atraso no pagamento dos servidores estaduais, estabelecesse uma antecipação de pagamento de *serviços que ainda não haviam sido prestados*.[37]

Nesses casos o legislador elege uma causa inexistente ou insuficiente para a atuação estatal. Ao fazê-lo, viola a exigência de vinculação à realidade.[38] A interpretação das normas exige o confronto com parâmetros externos a elas. Daí se falar em dever de congruência e de fundamentação na natureza das coisas (*Natur der Sache*). Os princípios constitucionais do Estado de Direito (art. 1º) e do devido processo legal (art. 5º, LIV) impedem a utilização de razões arbitrárias e a subversão dos procedimentos institucionais utilizados. Desvincular-se da realidade é violar os princípios do Estado de Direito e do devido processo legal.

Essa exigência também assume relevo nas hipóteses de anacronismo legislativo, isto é, naqueles casos em que a norma, concebida para

35. STF, Tribunal Pleno, ADIn/Medida Liminar 1.558-8-AM, rel. Min. Celso de Mello, *DJU* 26.5.1995.

36. ADIn 2.667-DF/Medida Cautelar, rel. Min. Celso de Mello, j. 19.6.2002.

37. ADIn 247-RJ, rel. Min. Ilmar Galvão, j. 17.6.2002.

38. Diogo de Figueiredo Moreira Neto, "Moralidade administrativa: do conceito à efetivação", *RDA* 190/13.

ser aplicada em determinado contexto sócio-econômico, não mais possui razão para ser aplicada.[39]

Em segundo lugar, a razoabilidade exige uma relação congruente entre o critério de diferenciação escolhido e a medida adotada.[40] O exame de alguns casos comprova isso.

O Poder Executivo editou medida provisória com a finalidade de ampliação do prazo de decadência, de dois para cinco anos, para a propositura de ação rescisória pela União, Estados ou Municípios. No julgamento foi asseverado que o Poder Público possui algumas prerrogativas, as quais devem, porém, ser suportadas por diferenças reais entre as partes, e não, apenas, servir de agravamento da satisfação do direito do particular. Somente uma razão de ser plausível e aceitável justifica a distinção. Em decorrência disso e de outros fundamentos, a medida provisória foi declarada inconstitucional, em razão de a instituição de discriminação arbitrária violar os princípios da igualdade e do devido processo legal.[41]

Uma lei estadual determinou que o período de trabalho de secretários de Estado deveria ser contado em dobro para efeitos de aposentadoria. Levada a questão a julgamento, afirmou-se que não há razoabilidade em se considerar que o tempo de serviço de um secretário de Estado deva valer o dobro que o dos demais servidores. Trata-se de discriminação arbitrária ou aleatória. Em virtude disso, a distinção foi considerada inválida, pois a instituição de distinção sem causa concreta viola o princípio da igualdade.[42]

Uma lei vinculou o número de candidatos por partido ao número de vagas destinadas ao povo do Estado na Câmara de Deputados. O número de candidatos foi eleito critério de discriminação eleitoral. Os partidos insurgiram-se contra a medida, alegando ser ela irrazoável. No julgamento, porém, considerou-se haver congruência entre o critério de distinção e a medida adotada, pois a vinculação das vagas ao número de candidatos levaria à melhor representatividade populacional.[43]

39. Gino Scaccia, *Gli "Strumenti"* ..., p. 247.

40. Weida Zancaner, "Razoabilidade e moralidade: ...", Revista *Diálogo Jurídico* 9/4 (disponível em *http://www.direitopublico.com.br*).

41. STF, Tribunal Pleno, ADIn 1.753-2, rel. Ministro Sepúlveda Pertence, *DJU* 12.6.1998.

42. STF, Tribunal Pleno, ação direta de inconstitucionalidade/medida liminar, rel. Min. Sepúlveda Pertence, *DJU* 22.11.1991.

43. STF, Tribunal Pleno, ADIn 1.813-5, rel. Min. Marco Aurélio, *DJU* 6.6.1998.

Nos dois casos acima referidos o postulado da razoabilidade exigiu uma correlação entre o critério distintivo utilizado pela norma e a medida por ela adotada. Não se está, aqui, analisando a relação entre meio e fim, mas entre critério e medida. À eficácia dos princípios constitucionais do Estado de Direito (art. 1º) e do devido processo legal (art. 5º, LIV) soma-se a eficácia do princípio da igualdade (art. 5º, *caput*), que impede a utilização de critérios distintivos inadequados. Diferenciar sem razão é violar o princípio da igualdade.

3.3.3.2.2.3 Razoabilidade como equivalência – A razoabilidade também exige uma relação de equivalência entre a medida adotada e o critério que a dimensiona.

O Supremo Tribunal Federal declarou inconstitucional a criação de taxa judiciária de percentual fixo, por considerar que em alguns casos essa seria tão alta que impossibilitaria o exercício de um direito fundamental – obtenção de prestação jurisdicional –, além de não ser *razoavelmente* equivalente ao custo real do serviço.[44] Nesse caso, o fundamento da decisão, além da questão relativa à proibição de excesso, está na desproporção entre o custo do serviço e a taxa cobrada. As taxas devem ser fixadas de acordo com o serviço que é prestado ou colocado à disposição do contribuinte. Nesse sentido, o custo do serviço serve de critério para a fixação do valor das taxas. Daí se dizer que as taxas devem ser *equivalentes* ao serviço prestado.

Outro exemplo refere-se às penas que devem ser fixadas de acordo com a culpabilidade do agente. Nesse sentido, a culpa serve de critério para a fixação da pena a ser cumprida, devendo a pena corresponder à culpa. O Supremo Tribunal Federal, em caso já mencionado, decidiu pelo trancamento da ação penal por falta de justa causa uma vez verificada a insignificância jurídica do ato apontado como delituoso. Consubstancia ato insignificante a contratação isolada de mão-de-obra, visando à atividade de gari, por Município, considerado o período diminuto, vindo o pedido formulado em reclamação trabalhista a ser julgada improcedente, ante a nulidade da relação jurídica por ausência do concurso público. A punição não seria *equivalente* ao ato delituoso.[45]

3.3.3.2.2.4 Distinção entre razoabilidade e proporcionalidade – O postulado da proporcionalidade exige que o Poder Legislativo e o

44. Repr. 1.077, *RTJ* 112/34-67.

45. HC 77.003-4, rel. Min. Marco Aurélio, *DJU* 11.9.1998.

Poder Executivo escolham, para a realização de seus fins, meios adequados, necessários e proporcionais. Um meio é adequado se promove o fim. Um meio é necessário se, dentre todos aqueles meios igualmente adequados para promover o fim, for o menos restritivo relativamente aos direitos fundamentais. E um meio é proporcional, em sentido estrito, se as vantagens que promove superam as desvantagens que provoca. A aplicação da proporcionalidade exige a relação de causalidade entre meio e fim, de tal sorte que, adotando-se o meio, promove-se o fim.[46]

Ocorre que a razoabilidade, de acordo com a reconstrução aqui proposta, não faz referência a uma relação de causalidade entre um *meio* e um *fim*, tal como o faz o postulado da proporcionalidade. É o que se passa a demonstrar.

A razoabilidade como dever de harmonização do geral com o individual (dever de eqüidade) atua como instrumento para determinar que as circunstâncias de fato devem ser consideradas com a presunção de estarem dentro da normalidade, ou para expressar que a aplicabilidade da regra geral depende do enquadramento do caso concreto. Nessas hipóteses, princípios constitucionais sobrejacentes impõem verticalmente determinada interpretação. Não há, no entanto, nem entrecruzamento horizontal de princípios, nem relação de causalidade entre um meio e um fim. Não há espaço para afirmar que uma ação promove a realização de um estado de coisas.

A razoabilidade como dever de harmonização do Direito com suas condições externas (dever de congruência) exige a relação das normas com suas condições externas de aplicação, quer demandando um suporte empírico existente para a adoção de uma medida, quer exigindo uma relação congruente entre o critério de diferenciação escolhido e a medida adotada.

Na primeira hipótese princípios constitucionais sobrejacentes impõem verticalmente determinada interpretação, pelo afastamento de motivos arbitrários. Inexiste entrecruzamento horizontal de princípios, ou relação de causalidade entre um meio e um fim.

Na segunda hipótese exige-se uma correlação entre o critério distintivo utilizado pela norma e a medida por ela adotada. Não se está, aqui, analisando a relação entre meio e fim, mas entre critério e medida. Com efeito, o postulado da proporcionalidade pressupõe a relação

46. Humberto Ávila, "A distinção entre princípios e regras e a redefinição do dever de proporcionalidade", *RDA* 215/151-179.

de causalidade entre o efeito de uma ação (meio) e a promoção de um estado de coisas (fim). Adotando-se o meio, promove-se o fim: o meio leva ao fim. Já na utilização da razoabilidade como exigência de congruência entre o critério de diferenciação escolhido e a medida adotada há uma relação entre uma qualidade e uma medida adotada: uma qualidade não leva à medida, mas é critério intrínseco a ela.

A razoabilidade como dever de vinculação entre duas grandezas (dever de equivalência), semelhante à exigência de congruência, impõe uma relação de equivalência entre a medida adotada e o critério que a *dimensiona*. Nessa hipótese exige-se uma relação entre critério e medida, e não entre meio e fim. Tanto é assim que não se pode afirmar – nos casos analisados – que o custo do serviço promove a taxa, ou que a culpa leva à pena. Não há, nessas hipóteses, qualquer relação de causalidade entre dois elementos empiricamente discerníveis, um meio e um fim, como é o caso da aplicação do postulado da proporcionalidade. Há – isto, sim – uma relação de correspondência entre duas *grandezas*.[47]

Embora não seja essa a opção feita por este trabalho, pelas razões já apontadas, é plausível enquadrar a proibição de excesso e a razoabilidade no exame da proporcionalidade em sentido estrito. Se a proporcionalidade em sentido estrito for compreendida como amplo dever de ponderação de bens, princípios e valores, em que a promoção de um não pode implicar a aniquilação de outro, a proibição de excesso será incluída no exame da proporcionalidade.[48] Se a proporcionalidade em sentido estrito compreender a ponderação dos vários interesses em conflito, inclusive dos interesses pessoais dos titulares dos direitos fundamentais restringidos, a razoabilidade como eqüidade será incluída no exame da proporcionalidade.[49] Isso significa que um mesmo problema teórico pode ser analisado sob diferentes enfoques e com diversas finalidades, todas com igual dignidade teórica. Não se pode, portanto, afirmar que esse ou aquele modo de explicar a proporcionalidade seja correto, e outros equivocados.[50]

47. Humberto Bergmann Ávila, *Materiell verfassungsrechtliche ...*, p. 71.

48. Gilmar Ferreira Mendes, "O princípio da proporcionalidade na jurisprudência do Supremo Tribunal Federal", *Direitos Fundamentais e Controle de Constitucionalidade*, pp. 67 e ss.

49. Luís Roberto Barroso, *Interpretação e Aplicação da Constituição*, 4ª ed., pp. 224 e ss.; Celso Antônio Bandeira de Mello, *Curso de Direito Administrativo*, 14ª ed., 2002; Laura Clérico, *Die Struktur ...*, pp. 223 e ss.

50. Com diversa compreensão, cf. Luís Virgílio Afonso da Silva, "O Proporcional e o Razoável", *RT* 798/28 e ss.

3.3.3.3 Proporcionalidade

3.3.3.3.1 *Considerações gerais*

O postulado da proporcionalidade cresce em importância no Direito Brasileiro. Cada vez mais ele serve como instrumento de controle dos atos do Poder Público.[51] Sua aplicação, evidentemente, tem suscitado vários problemas.

O primeiro deles diz respeito à sua aplicabilidade. Sua origem reside no emprego da própria palavra "proporção". A idéia de *proporção* é recorrente na Ciência do Direito. Na Teoria Geral do Direito fala-se em proporção como elemento da própria concepção imemorial de Direito, que tem a função de atribuir a cada um a sua proporção. No direito penal faz-se referência à necessidade de proporção entre culpa e pena na fixação dos limites da pena. No direito eleitoral fala-se em proporção entre o número de candidatos e o número de vagas como condição para a avaliação da representatividade. No direito tributário menciona-se a obrigatoriedade de proporção entre o valor da taxa e o serviço público prestado e a necessidade de proporção entre a carga tributária e os serviços públicos que o Estado coloca à disposição da sociedade. No direito processual manipula-se a idéia de proporção entre o gravame ocasionado e a finalidade a que se destina o ato processual. No direito constitucional e administrativo faz-se uso da idéia de proporção entre o gravame criado por um ato do Poder Público e o fim por ele perseguido. E na avaliação da intensidade do gravame provocado fala-se em proporção entre vantagens e desvantagens, entre ganhos e perdas, entre restrição de um direito e promoção de um fim – e assim por diante. A idéia de proporção perpassa todo o Direito, sem limites ou critérios.

Será, porém, que em todas essas acepções estamos falando do postulado da proporcionalidade? Certamente que não. O postulado da proporcionalidade não se confunde com a idéia de proporção em suas mais variadas manifestações. Ele se aplica apenas a situações em que há uma relação de causalidade entre dois elementos empiricamente discerníveis, um meio e um fim, de tal sorte que se possa proceder aos três exames fundamentais: o da adequação (o meio promove o fim?), o da necessidade (dentre os meios disponíveis e igualmente adequados para promover o fim, não há outro meio menos restritivo do(s) direito(s) fun-

51. Sobre o assunto, cf. Humberto Ávila, "A distinção entre princípios e regras ...", *RDA* 215/151-179.

damentais afetados?) e o da proporcionalidade em sentido estrito (as vantagens trazidas pela promoção do fim correspondem às desvantagens provocadas pela adoção do meio?).

Nesse sentido, a proporcionalidade, como postulado estruturador da aplicação de princípios que concretamente se imbricam em torno de uma relação de causalidade entre um meio e um fim, não possui aplicabilidade irrestrita. Sua aplicação depende de elementos sem os quais não pode ser aplicada. Sem um meio, um fim concreto e uma relação de causalidade entre eles não há aplicabilidade do postulado da proporcionalidade em seu caráter trifásico.

O segundo problema diz respeito ao seu funcionamento. Existe aparente clareza quanto à circunstância de o postulado da proporcionalidade exigir o exame da adequação, da necessidade e da proporcionalidade em sentido estrito. Os meios devem ser adequados para atingir o fim. Mas em que consiste, precisamente, a *adequação*? Os meios escolhidos devem ser necessários dentre aqueles disponíveis. Mas o que significa ser *necessário*? As vantagens da utilização do meio devem superar as desvantagens. Mas qual o sentido de *vantagens* e relativamente ao *quê* e a *quem* elas devem ser analisadas? Enfim, os três exames envolvidos na aplicação da proporcionalidade só aparentemente são incontroversos. Sua investigação revela problemas que devem ser esclarecidos, sob pena de a proporcionalidade, que foi concebida para combater a prática de atos arbitrários, funcionar, paradoxalmente, como subterfúgio para a própria prática de tais atos.

3.3.3.3.2 *Aplicabilidade*

3.3.3.3.2.1 Relação entre meio e fim – A proporcionalidade constitui-se em um postulado normativo aplicativo, decorrente do caráter principial das normas e da função distributiva do Direito, cuja aplicação, porém, depende do imbricamento entre bens jurídicos e da existência de uma relação meio/fim intersubjetivamente controlável.[52] Se não houver uma relação meio/fim devidamente estruturada, então – nas palavras de Hartmut Maurer – cai o exame de proporcionalidade, pela falta de pontos de referência, no vazio.[53]

O exame de proporcionalidade aplica-se sempre que houver uma *medida concreta* destinada a realizar uma *finalidade*. Nesse caso de-

52. Michael Ch. Jakobs, *Der Grundsatz der Verhältnismäßigkeit*, p. 96.
53. *Staatsrecht*, pp. 234-235.

vem ser analisadas as possibilidades de a medida levar à realização da finalidade (exame da adequação), de a medida ser a menos restritiva aos direitos envolvidos dentre aquelas que poderiam ter sido utilizadas para atingir a finalidade (exame da necessidade) e de a finalidade pública ser tão valorosa que justifique tamanha restrição (exame da proporcionalidade em sentido estrito).

Sem uma relação meio/fim não se pode realizar o exame do postulado da proporcionalidade, pela falta dos elementos que o estruturem. Nesse sentido, importa investigar o significado de *fim*: fim consiste num ambicionado resultado concreto (extrajurídico); um resultado que possa ser concebido mesmo na ausência de normas jurídicas e de conceitos jurídicos, tal como obter, aumentar ou extinguir bens, alcançar determinados estados ou preencher determinadas condições, dar causa a ou impedir a realização de ações.[54]

Como se vê, a aplicabilidade do postulado da proporcionalidade depende de uma relação de causalidade entre meio e fim. Se assim é, sua força estruturadora reside na forma como podem ser precisados os efeitos da utilização do meio e de como é definido o fim justificativo da medida. Um meio cujos efeitos são indefinidos e um fim cujos contornos são indeterminados, se não impedem a utilização da proporcionalidade, certamente enfraquecem seu poder de controle sobre os atos do Poder Público.

Fim significa um estado desejado de coisas. Os princípios estabelecem, justamente, o dever de promover fins. Para estruturar a aplicação do postulado da proporcionalidade é indispensável a determinação progressiva do fim. Um fim vago e indeterminado pouco permite verificar se ele é, ou não, gradualmente promovido pela adoção de um meio. Mais do que isso, dependendo da determinação do fim, os próprios exames se modificam; uma medida pode ser adequada, ou não, em função da própria determinabilidade do fim.

3.3.3.3.2.2 Fins internos e fins externos – Há fins e fins no Direito. Pode-se, em razão disso, fazer uma distinção entre fins internos e fins externos.

Os fins internos estabelecem um resultado a ser alcançado que reside na própria pessoa ou situação objeto de comparação e diferencia-

54. Klaus Vogel e Christian Waldhoff, *Grundlagen des Finanzverfassungsrechts: Sonderausgabe des Bonner Kommentars zum Grundgesetz (Vorbemerkungen zu Art. 104a bis 115 GG)*, Rdnr. 480, p. 310.

ção.[55] A comparação entre duas pessoas em razão da sua capacidade econômica demonstra uma relação próxima entre a medida (capacidade econômica) e o fim almejado (cobrança de tributos). A mesma relação existe quando se relaciona a *culpa* com a *pena* ou a *taxa* com a *retribuição*: a pena deve ser correspondente à culpa; a taxa deve corresponder à contraprestação. O decisivo é que os fins internos exigem determinadas medidas de apreciação que se relacionam com as pessoas ou situações, e devem realizar uma propriedade que seja relevante para determinado tratamento. Daí a razão pela qual se faz referência a medidas de justiça ou juízos de justiça: a capacidade contributiva é tanto medida, pois consiste em critério para a tributação justa, quanto fim, pois estabelece algo cuja existência fundamenta a própria realização da igualdade. A capacidade contributiva não causa a justiça da tributação; e o *meio* e o *fim* confundem-se, em razão de não poderem ser concretamente discernidos.[56] Como conseqüência disso, o exame de igualdade do ponto de vista de um fim interno e uma medida de justiça exige tão-somente um exame de correspondência.

Os fins externos estabelecem resultados que não são propriedades ou características dos sujeitos atingidos, mas que se constituem em finalidades atribuídas ao Estado, e que possuem uma dimensão extrajurídica.[57] Por isso, podem-se separar duas realidades que se diferenciam no plano concreto: a relação entre meio e fim é uma relação entre causa e efeito.[58] Os fins externos são aqueles que podem ser empiricamente dimensionados, de tal sorte que se possa dizer que determinada medida seja meio para atingir determinado fim (relação causal).[59] Os fins sociais e econômicos podem ser qualificados de fins externos, como o são a praticabilidade administrativa, o planejamento econômico específico, a proteção ambiental. Quando houver um fim específico a ser atingido pode-se considerar o meio como causa da realização do fim. Nessa hipótese o exame admite o controle de adequação, necessidade e proporcionalidade em sentido estrito.

Justamente nesse ponto é preciso separar a proporcionalidade dos outros postulados ou princípios hermenêuticos. O postulado da pro-

55. Stefan Huster, *Rechte und Ziele: ...*, pp. 166-167.

56. Idem, ibidem, pp. 210 e 149.

57. Klaus Vogel e Christian Waldhoff, *Grundlagen des Finanzverfassungsrechts: ...*, Rdnr. 480, p. 310.

58. Stefan Huster, *Rechte und Ziele: ...*, pp. 148 e 150.

59. Lothar Hirschberg, *Der Grundsatz der Verhältnismäßigkeit*, p. 43.

porcionalidade não se confunde com o da *justa proporção*: enquanto esse exige uma realização proporcional de bens que se entrelaçam numa dada relação jurídica, independentemente da existência de uma restrição decorrente de medida adotada para atingir um fim externo, o postulado da proporcionalidade exige adequação, necessidade e proporcionalidade em sentido estrito de uma medida havida como meio para atingir um fim empiricamente controlável. O postulado da proporcionalidade não se identifica com o da *ponderação de bens*: esse último exige a atribuição de uma dimensão de importância a valores que se imbricam, sem que contenha qualquer determinação quanto ao modo como deve ser feita essa ponderação, ao passo que o postulado da proporcionalidade contém exigências precisas em relação à estrutura de raciocínio a ser empregada no ato de aplicação. O postulado da proporcionalidade não é igual ao da *concordância prática*: esse último exige a realização máxima de valores que se imbricam, também sem qualquer referência ao modo de implementação dessa otimização, enquanto a proporcionalidade relaciona o meio relativamente ao fim, em função de uma estrutura racional de aplicação. O postulado da proporcionalidade não se confunde com o da *proibição de excesso*: esse último veda a restrição da eficácia mínima de princípios, mesmo na ausência de um fim externo a ser atingido, enquanto a proporcionalidade exige uma relação proporcional de um meio relativamente a um fim. O postulado da proporcionalidade não se identifica com o da *razoabilidade*: esse exige, por exemplo, a consideração das particularidades individuais dos sujeitos atingidos pelo ato de aplicação concreta do Direito, sem qualquer menção a uma proporção entre meios e fins.

3.3.3.3.3 Exames inerentes à proporcionalidade

3.3.3.3.3.1 Adequação – A adequação exige uma relação empírica entre o meio e o fim: o meio deve levar à realização do fim. Isso exige que o administrador utilize um meio cuja eficácia (e não o meio, ele próprio) possa contribuir para a promoção gradual do fim. A compreensão da relação entre meio e fim exige respostas a três perguntas fundamentais: O que significa um meio ser adequado à realização de um fim? Como deve ser analisada a relação de adequação? Qual deve ser a intensidade de controle das decisões adotadas pelo Poder Público?

Para responder à primeira pergunta (O que significa um meio ser adequado à realização de um fim?) é preciso analisar as espécies de relação existentes entre os vários meios disponíveis e o fim que se deve promover. Pode-se analisar essa relação em três aspectos: quantitativo (intensidade), qualitativo (qualidade) e probabilístico (certeza).[60]

Em termos quantitativos, um meio pode promover menos, igualmente ou mais o fim do que outro meio. Em termos qualitativos, um meio pode promover pior, igualmente ou melhor o fim do que outro meio. E, em termos probabilísticos, um meio pode promover com menos, igual ou mais certeza o fim do que outro meio. Isso significa que a comparação entre os meios que o legislador ou administrador terá de escolher nem sempre se mantém em um mesmo nível (quantitativo, qualitativo ou probabilístico), como ocorre na comparação entre um meio mais fraco e outro mais forte, entre um meio pior e outro melhor, ou entre um meio menos certo e outro mais certo para a promoção do fim. A escolha da Administração na compra de vacinas para combater uma epidemia pode envolver a comparação entre uma vacina que acaba com todos os sintomas da doença (superior em termos quantitativos) mas que não tem eficácia comprovada para a maioria da população (inferior em termos probabilísticos) e outra vacina que, apesar de curar apenas os principais efeitos da doença (inferior em termos quantitativos), já teve sua eficácia comprovada em outras ocasiões (superior em termos probabilísticos).

Essas ponderações remetem à seguinte e importante pergunta: A Administração e o legislador têm o dever de escolher o *mais intenso*, o *melhor* e o *mais seguro* meio para atingir o fim, ou têm o dever de escolher um meio que "simplesmente" promova o fim? A administração e legislador têm o dever de escolher um meio que simplesmente promova o fim. Várias razões levam a essa conclusão.[61]

Em primeiro lugar, nem sempre é possível – ou, mesmo, plausível – saber qual, dentre todos os meios igualmente adequados, é o mais intenso, melhor e mais seguro na realização do fim. Isso depende de informações e de circunstâncias muitas vezes não disponíveis para a Administração. A administração Pública ficaria inviabilizada, e a promoção satisfatória de seus fins também, se tivesse que, para tomar cada decisão, por mais insignificante que fosse, avaliar todos os meios possíveis e imagináveis para atingir um fim.

Em segundo lugar, o princípio da separação dos Poderes exige respeito à vontade objetiva do Poder Legislativo e do Poder Executivo. A

60. Ota Weinberger, *Rechtslogik*, 2ª ed., p. 287. Sobre a proporcionalidade, cf., por todos, a notável obra de Laura Clérico, *Die Struktur* ..., pp. 26 e ss.

61. Cf. Laura Clérico, *Die Struktur* ..., p. 39.

liberdade da Administração seria previamente reduzida se, posteriormente à adoção da medida, o aplicador pudesse dizer que o meio escolhido não era o mais adequado. Um mínimo de liberdade de escolha é inerente ao sistema de divisão de funções.

Em terceiro lugar, a própria exigência de racionalidade na interpretação e aplicação das normas impõe que se analisem todas as circunstâncias do caso concreto. A imediata exclusão de um meio que não é o *mais intenso*, o *melhor* e o *mais seguro* para atingir o fim impede a consideração a outros argumentos que podem justificar a escolha. Esses outros argumentos não devem, por isso, ser analisados no exame de adequação, mas no exame de proporcionalidade em sentido estrito, como será adiante demonstrado.

Até o momento, basta reconhecer que o Poder Executivo e o Poder Legislativo devem escolher um meio que promova minimamente o fim, mesmo que esse não seja o mais intenso, o melhor, nem o mais seguro.

Para responder à segunda pergunta (Como deve ser analisada a relação de adequação?) é necessário verificar em quais aspectos pode ser analisada a adequação. A adequação pode ser analisada em três dimensões: abstração/concretude; generalidade/particularidade; antecedência/posteridade.

Na primeira dimensão (abstração/concretude) pode-se exigir a adoção de uma medida que seja abstratamente adequada para promover o fim. A medida será adequada se o fim for *possivelmente* realizado com sua adoção. Se o fim for, de fato, realizado, é impertinente. Ou pode-se exigir a adoção de uma medida que seja concretamente adequada para promover o fim. A medida será adequada somente se o fim for efetivamente realizado no caso concreto.

Na segunda dimensão (generalidade/particularidade) pode-se exigir a adoção de uma medida que seja geralmente adequada para promover o fim. A medida será adequada se o fim for realizado na maioria dos casos com sua adoção. Mesmo que exista um grupo não atingido, ou casos em que o fim não foi realizado com aquela medida, só por isso ela não será considerada inadequada. Pode-se, ainda, exigir a adoção de uma medida que seja individualmente adequada para promover o fim. A medida será adequada somente se todos os casos individuais demonstrarem a realização do fim.

Na terceira dimensão (antecedência/posteridade) pode-se exigir a adoção de uma medida que seja adequada no momento em que foi adotada. A medida será adequada se o administrador avaliou e projetou bem a promoção do fim no momento da adoção da medida. Se a avaliação do administrador revelou-se equivocada em momento posterior, e com informações somente disponíveis mais tarde, é impertinente. Pode-se, ainda, exigir a adoção de uma medida que seja adequada no momento em que ela vai ser julgada. A medida será adequada se o julgador, no momento da decisão e depois que ela for adotada, verificar que a medida promove o fim. Se a avaliação do administrador revelou-se equivocada em momento posterior, e com informações disponíveis mais tarde, ela deverá ser anulada.

Em face dessas considerações, faz-se necessário saber o que significa *adotar uma medida adequada*. Uma resposta categórica é inviável, em face da multiplicidade de modos de atuação do Poder Público. Mesmo assim, pode-se propor uma resposta em que predomina o valor heurístico, isto é, uma resposta que funciona como hipótese provisória de trabalho para uma posterior reconstrução de conteúdos normativos, sem, no entanto, assegurar qualquer procedimento estritamente dedutivo de fundamentação ou de decisão a respeito desses conteúdos.[62]

Nesse sentido, pode-se afirmar que nas hipóteses em que o Poder Público está atuando para uma generalidade de casos – por exemplo, quando edita atos normativos – a medida será adequada se, abstrata e geralmente, servir de instrumento para a promoção do fim. Tratando-se, porém, de atos meramente individuais – por exemplo, atos administrativos – a medida será adequada se, concreta e individualmente, funcionar como meio para a promoção do fim. Em qualquer das duas hipóteses, a adequação deverá ser avaliada no momento da escolha do meio pelo Poder Público, e não em momento posterior, quando essa escolha é avaliada pelo julgador. Isso porque a qualidade da avaliação e da projeção – e, portanto, a atuação da Administração – deve ser averiguada de acordo com as circunstâncias existentes no momento dessa atuação. É imperioso lembrar que o exame da proporcionalidade exige do aplicador uma análise em que preponderam juízos do tipo probabilístico e indutivo.[63]

Essas ponderações são relevantíssimas do ponto de vista prático. Um exemplo para demonstrá-lo é a utilização de substituição tributária para frente no direito tributário (mecanismo por meio do qual o legis-

62. H. Schepers, "Heuristik", in *Historisches Wörterbuch der Philosophie*, v. 3, p. 1.119.

63. Gino Scaccia, *Gli "Strumenti"* ..., p. 20.

lador substitui, na própria lei, aquele que seria normalmente o contribuinte por um outro, que passa a ser o sujeito passivo direto da obrigação tributária). Sua utilização afasta-se do modelo de tributação com base na ocorrência do fato gerador em razão de finalidades extrafiscais, como a simplificação da arrecadação e a diminuição dos custos administrativos de fiscalização. Sua estrutura reside na presunção de que o fato gerador ocorrerá, em determinadas dimensões, no futuro. Se o Poder Legislativo projetou bem e avaliou corretamente a medida para a generalidade dos casos, e dimensionou o "fato gerador futuro" medianamente, para cada setor atingido, sua ocorrência individual com características diversas daquelas presumidas não afeta a validade do mecanismo de substituição tributária enquanto tal. Nessa hipótese a medida adotada é adequada, pois a adequação exigida – reitere-se – não é concreta, individual e posterior, mas abstrata, geral e anterior. A questão decisiva, pois, está na análise do mecanismo legal de substituição tributária em geral e da sua adequação abstrata, geral e prévia para a maioria dos casos, e não no exame da ocorrência do fato gerador em dimensões diferentes daquelas presumidas ou na investigação da falta de diminuição dos custos tributários com a fiscalização e arrecadação dos tributos.

Até aqui, é suficiente registrar que a adequação do meio escolhido pelo Poder Público deve ser julgada mediante a consideração das circunstâncias existentes no momento da escolha e de acordo com o modo como contribui para a promoção do fim.

Para responder à terceira pergunta (Qual deve ser a intensidade de controle das decisões adotadas pela Administração?) é imprescindível analisar dois níveis de controle: um controle forte e um controle fraco.

Num modelo forte de controle qualquer demonstração de que o meio não promove a realização do fim é suficiente para declarar a invalidade da atuação administrativa. Num modelo fraco apenas uma demonstração objetiva, evidente e fundamentada pode conduzir à declaração de invalidade da atuação administrativa concernente à escolha de um meio para atingir um fim. Pois bem, qual desses modelos está, de modo mais plausível, de acordo com o ordenamento jurídico brasileiro? O modelo fraco de controle, pelos seguintes motivos.

Em primeiro lugar, o princípio da separação dos Poderes exige um mínimo de autonomia e independência no exercício das funções legislativa, administrativa e judicial. Assegurado um mínimo de liberdade para o legislador e para o administrador, não é dado ao julgador escolher o melhor meio sem um motivo manifesto de inadequação do meio eleito pela Administração para escolher o fim. O exame do entrecruzamento entre o dever de preservar a liberdade do legislador e o dever de proteger os direitos fundamentais do administrado revela abstratamente uma encruzilhada em que se resguarda um âmbito mínimo de liberdade para o legislador e para o administrador. Somente uma comprovação cabal da inadequação permite a invalidação da escolha do legislador ou administrador.[64]

Essas considerações levam ao entendimento de que o exame da adequação só redunda na declaração de invalidade da medida adotada pelo Poder Público nos casos em que a incompatibilidade entre o meio e o fim for claramente manifesta. Caso contrário deve prevalecer a opção encontrada pela autoridade competente. Em função disso entende-se por que o Tribunal Constitucional Federal da República Federal da Alemanha refere-se aos controles da evidência (*Evidenzkontrole*) e da justificabilidade (*Vertretbarkeitskontrole*). Para preservar a prerrogativa funcional do Poder Legislativo e do Poder Executivo, o Poder Judiciário só opta pela anulação das medidas adotadas pelos outros Poderes se sua inadequação for *evidente* e não for, de qualquer modo plausível, *justificável*. Fora esses casos, a escolha feita pelos outros Poderes deve ser mantida, em atenção ao princípio da separação dos Poderes. Uma mera má projeção, por si só, não leva à invalidade do meio escolhido.

A jurisprudência do Supremo Tribunal Federal demonstra, de um lado, a exigência de evidência na declaração de invalidade de uma medida por ser ela inadequada e, de outro, a circunstância de o exame de adequação – como, de resto, de qualquer postulado – sempre envolver a violação de algum princípio constitucional.

O Supremo Tribunal Federal examinou o caso de uma lei que determinava, para o exercício legal da profissão de corretor de imóveis, a exigência de comprovação de condições de capacidade. O Tribunal, no entanto, entendeu que o exercício da profissão de corretor de imóveis não dependia da referida comprovação. Em outras palavras, declarou que o meio (atestado de condições de capacidade) não promovia o fim (controle do exercício da profissão). Em conseqüência, essa exigência violava o exercício livre de qualquer trabalho, ofício ou profissão.[65]

64. Gino Scaccia, *Gli "Strumenti"...*, p. 238.

65. Tribunal Pleno, Repr. 930-DF, rel. Min. Cordeiro Guerra, *DJU* 2.9.1977.

3.3.3.3.3.2 Necessidade – O exame da necessidade envolve a verificação da existência de meios que sejam alternativos àquele inicialmente escolhido pelo Poder Legislativo ou Poder Executivo, e que possam promover igualmente o fim sem restringir, na mesma intensidade, os direitos fundamentais afetados. Nesse sentido, o exame da necessidade envolve duas etapas de investigação: em primeiro lugar, o *exame da igualdade de adequação dos meios*, para verificar se os meios alternativos promovem igualmente o fim; em segundo lugar, o *exame do meio menos restritivo*, para examinar se os meios alternativos restringem em menor medida os direitos fundamentais colateralmente afetados.

O exame da igualdade de adequação dos meios envolve a comparação entre os efeitos da utilização dos meios alternativos e os efeitos do uso do meio adotado pelo Poder Legislativo ou pelo Poder Executivo. A dificuldade desse exame reside no fato de que os meios promovem os fins em vários aspectos (qualitativo, quantitativo, probabilístico). Um meio não é, de todos os pontos de vista, igual a outro. Em alguma medida, e sob algum ponto de vista, os meios diferem entre si na promoção do fim. Uns promovem o fim mais rapidamente, outros mais vagarosamente; uns com menos dispêndios, outros com mais gastos; uns são mais certos, outros mais incertos; uns são mais simples, outros mais complexos; uns são mais fáceis, outros mais difíceis, e, assim, sucessivamente.[66] Além disso, a distinção entre os meios será em alguns casos evidente; em outros, obscura. Por último, mas não por fim: alguns meios promovem mais o fim em exame, e também os outros com ele relacionados, enquanto outros meios promoverão em menor intensidade o fim em exame, mas com mais intensidade outros cuja promoção também é determinada pelo ordenamento jurídico.[67]

Diante disso, surge a indagação: os meios devem ser comparados em *todos os aspectos*, ou em *alguns aspectos*? Se em *alguns aspectos*, então quais? A resposta a essa questão deve ser buscada nos mesmos fundamentos antes referidos, especialmente no princípio da separação dos Poderes. Se fosse permitido ao Poder Judiciário anular a escolha do meio porque ele, em algum aspecto e sob alguma perspectiva, não promove o fim da mesma forma que outros hipoteticamente aventados, a rigor nenhum meio resistiria ao controle de necessidade, pois sempre é possível imaginar, indutiva e probabilisticamente, algum meio que

66. Georg von Wright, "Rationalität: Mittel und Zwecke", in *Normen, Werte und Handlungen*, p. 126.

67. Laura Clérico, *Die Struktur* ..., p. 85.

promova, em algum aspecto e em alguma medida, melhor o fim do que aquele inicialmente adotado. Nesse sentido, deve-se respeitar a escolha da autoridade competente, afastando-se o meio se ele for manifestamente menos adequado que outro. Os princípios da legalidade e da separação dos Poderes o exigem.

Em face das ponderações precedentes, fica claro que a verificação do meio menos restritivo deve indicar o meio mais suave, em geral e nos casos evidentes. Na hipótese de normas gerais o meio necessário é aquele mais suave ou menos gravoso relativamente aos direitos fundamentais colaterais, para a média dos casos. Mesmo nos atos gerais pode-se, em casos excepcionais e com base no postulado da razoabilidade, anular a regra geral por atentar ao dever de considerar minimamente as condições pessoais daqueles atingidos. Na hipótese de atos individuais, em que devam ser consideradas as particularidades pessoais e as circunstâncias do caso concreto, o meio necessário será aquele no caso concreto.

O Supremo Tribunal Federal tem aplicado o exame de necessidade. A 1ª Turma do Tribunal deferiu pedido de *habeas corpus* impetrado pelo paciente que seria o pai presumido de menor nascido na constância de seu casamento, que respondia à ação ordinária de reconhecimento de filiação combinada com retificação de registro movida por terceiro que se pretendia pai biológico da criança. O impetrante usou o *habeas corpus* para se livrar do constrangimento de ser submetido ao teste de DNA. Neste caso sustentou-se que a investigação de paternidade poderia ser feita sem a participação do paciente, eis que o autor da ação poderia ele mesmo fazer o teste de DNA.[68] O Tribunal considerou que o meio alternativo (exame de DNA pelo autor da ação investigação de paternidade) seria menos restritivo que aquele escolhido pelo Julgador *a quo* (exame de DNA pelo réu da ação de investigação de paternidade).

Da mesma forma, o Supremo Tribunal Federal declarou inconstitucional lei que previa a obrigatoriedade de pesagem de botijão de gás à vista do consumidor, não só por impor um ônus excessivo às companhias, que teriam de dispor de uma balança para cada veículo, mas também porque a proteção dos consumidores poderia ser preservada de outra forma, menos restritiva.[69] Nesse caso a medida foi declarada inconstitucional, porque existiam outras medidas menos restritivas aos direitos fundamentais atingidos, como a fiscalização por amostragem.

68. HC 76.060-SC, rel. Min. Sepúlveda Pertence, *DJU* 15.5.1998.

69. ADIn 855-2, rel. Min. Octávio Gallotti, *DJU* 1.10.1993.

O exame da necessidade não é, porém, de modo algum singelo. Isso porque, como foi mencionado, a comparação do grau de restrição dos direitos fundamentais e do grau de promoção da finalidade preliminarmente pública pode envolver certa complexidade. Quando são comparados meios cuja intensidade de promoção do fim é a mesma, só variando o grau de restrição, fica fácil escolher o meio menos restritivo. Os problemas começam, porém, quando os meios são diferentes não só no grau de restrição dos direitos fundamentais, mas também no grau de promoção da finalidade. Como escolher entre um meio que restringe pouco um direito fundamental mas, em contrapartida, promove pouco o fim, e um meio que promove bastante o fim mas, em compensação, causa muita restrição a um direito fundamental? A ponderação entre o grau de restrição e o grau de promoção é inafastável. Daí a necessidade de que o processo de ponderação, como já foi afirmado, envolva o esclarecimento do que está sendo objeto de ponderação, da ponderação propriamente dita e da reconstrução posterior da ponderação.

3.3.3.3.3.3 Proporcionalidade em sentido estrito – O exame da proporcionalidade em sentido estrito exige a comparação entre a importância da realização do fim e a intensidade da restrição aos direitos fundamentais. A pergunta que deve ser formulada é a seguinte: O grau de importância da promoção do fim justifica o grau de restrição causada aos direitos fundamentais? Ou, de outro modo: As vantagens causadas pela promoção do fim são proporcionais às desvantagens causadas pela adoção do meio? A valia da promoção do fim corresponde à desvalia da restrição causada?

Trata-se, como se pode perceber, de um exame complexo, pois o julgamento daquilo que será considerado como vantagem e daquilo que será contado como desvantagem depende de uma avaliação fortemente subjetiva. Normalmente um meio é adotado para atingir uma finalidade pública, relacionada ao interesse coletivo (proteção do meio ambiente, proteção dos consumidores), e sua adoção causa, como efeito colateral, restrição a direitos fundamentais do cidadão.

O Supremo Tribunal Federal, no já citado julgamento a respeito da lei que previa a obrigatoriedade de pesagem de botijão de gás à vista do consumidor, considerou desproporcional a medida. A leitura do acórdão permite verificar que a intensidade das restrições causadas aos princípios da livre iniciativa e da propriedade privada (ônus excessivo às companhias, pois elas teriam de dispor de uma balança para cada veículo, elevando o custo, que seria repassado para o preço dos botijões, e exigindo dos consumidores que se locomovessem até os veículos para acompanhar a pesagem) superava a importância da promoção do fim (proteção dos consumidores, que podiam ser enganados na compra de botijões sem o conteúdo indicado).[70]

3.3.3.3.4 Intensidade do controle dos outros Poderes pelo Poder Judiciário

Uma das grandes dúvidas concernentes à aplicação do postulado da proporcionalidade é a relativa à intensidade do controle a ser exercido pelo Poder Judiciário sobre os atos dos Poderes Executivo e Legislativo. Além das considerações já feitas sobre o controle fraco, no que se refere ao exame da adequação, ainda é preciso acentuar que o exercício das prerrogativas decorrentes do princípio democrático deve ser objeto de controle pelo Poder Judiciário, especialmente porque restringe direitos fundamentais. Em vez da *insindicabilidade* dessas decisões (*Nichtjustitiabilität*), é preciso verificar *em que medida* essas competências estão sendo exercidas. Nesse sentido, é importante encontrar critérios que aumentem e que restrinjam o controle material a ser exercido pelo Poder Judiciário.

De um lado, o âmbito de controle pelo Poder Judiciário e a exigência de justificação da restrição a um direito fundamental deverá ser *tanto maior* quanto maior for: (1) a condição para que o Poder Judiciário construa um juízo seguro a respeito da matéria tratada pelo Poder Legislativo; (2) a evidência de equívoco da premissa escolhida pelo Poder Legislativo como justificativa para a restrição do direito fundamental; (3) a restrição ao bem jurídico constitucionalmente protegido; (4) a importância do bem jurídico constitucionalmente protegido, a ser aferida pelo seu caráter fundante ou função de suporte relativamente a outros bens (por exemplo, vida e igualdade) e pela sua hierarquia sintática no ordenamento constitucional (por exemplo, princípios fundamentais).

Presentes esses fatores, maior deverá ser o controle exercido pelo Poder Judiciário, notadamente quando a premissa utilizada pelo Poder Legislativo for *evidentemente errônea*. Isso porque incumbe ao Poder Judiciário "avaliar a avaliação" feita pelo Poder Legislativo (ou pelo Poder Executivo) relativamente à premissa escolhida, justamente porque o Poder Legislativo só irá realizar ao máximo o princípio democrático se escolher a premissa concreta que *melhor promova* a finalida-

70. ADIn 855-2, rel. Min. Octávio Galloti, *DJU* 1.10.1993.

de pública que motivou sua ação ou se tiver uma razão justificadora para ter se afastado da escolha da melhor premissa. Se o Poder Legislativo podia ter avaliado melhor, sem aumento de gastos, a sua competência não foi exercida em consonância com o princípio democrático, que lhe incumbe realizar ao máximo.

De outro lado, o âmbito de controle pelo Poder Judiciário e a exigência de justificação da restrição a um direito fundamental deverá ser *tanto menor*, quanto mais: (1) duvidoso for o efeito futuro da lei; (2) difícil e técnico for o juízo exigido para o tratamento da matéria; (3) aberta for a prerrogativa de ponderação atribuída ao Poder Legislativo pela Constituição.

Presentes esses fatores, menor deverá ser o controle exercido pelo Poder Judiciário, já que se torna mais difícil uma decisão autônoma desse Poder. Em qualquer caso – e este é o ponto decisivo – caberá ao Poder Judiciário verificar se o legislador fez uma avaliação objetiva e sustentável do material fático e técnico disponível, se esgotou as fontes de conhecimento para prever os efeitos da regra do modo mais seguro possível e se se orientou pelo estágio atual do conhecimento e da experiência.[71] Se tudo isso foi feito – mas só nesse caso – a decisão tomada pelo Poder Legislativo é justificável (*vertretbar*) e impede que o Poder Judiciário simplesmente substitua a sua avaliação. Mas, veja-se: a decisão a respeito da justificabilidade da medida adotada pelo Poder Legislativo é o resultado final do controle feito pelo Poder Judiciário e, não, uma posição rígida e prévia anterior a ele. Sem o controle do Poder Judiciário não há sequer como comprovar a justificabilidade da medida adotada por outro Poder.

Todas essas considerações levam ao entendimento de que o controle de constitucionalidade poderá ser maior ou menor, mas sempre existirá, devendo ser afastada, de plano, a solução simplista de que o Poder Judiciário não pode controlar outro Poder por causa do princípio da separação dos Poderes. O princípio democrático só será realizado se o Poder Legislativo escolher premissas concretas que levem à realização dos direitos fundamentais e das finalidades estatais. Os direitos fundamentais, quanto mais forem restringidos e mais importan-

71. Christian Rau, *Selbst entwickelte Grenzen in der Rechtsprechung des United States Supreme Court und des Bundesverfassungsgerichts*, pp. 192 e ss.; Marius Raabe, "Grundrechtsschutz und gesetzgeberischer Einschätzungsspielraum – Eins Konstruktiosvorschlag", in *Allgemeinheit der Grundrechte und Vielfalt der Gesellschaft*, pp. 94 e ss.

tes forem na ordem constitucional, mais devem ter sua realização controlada. A tese da insindicabilidade das decisões do Poder Legislativo, sustentada de modo simplista, é uma monstruosidade que viola a função de guardião da Constituição atribuída ao Supremo Tribunal Federal, a plena realização do princípio democrático e dos direitos fundamentais bem como a concretização do princípio da universalidade da jurisdição.

4
CONCLUSÕES

4.1 A dissociação entre as espécies normativas, sobre ser havida como hipótese de trabalho para o processo aplicativo, pode ser laborada em razão do seu significado frontal. Nesse sentido, o significado preliminar dos dispositivos pode experimentar uma *dimensão* imediatamente comportamental (regra), finalística (princípio) e/ou metódica (postulado).

4.2 As regras são normas imediatamente descritivas, primariamente retrospectivas e com pretensão de decidibilidade e abrangência, para cuja aplicação se exige a avaliação da correspondência, sempre centrada na finalidade que lhes dá suporte e nos princípios que lhes são axiologicamente sobrejacentes, entre a construção conceitual da descrição normativa e a construção conceitual dos fatos.

4.3 Os princípios são normas imediatamente finalísticas, primariamente prospectivas e com pretensão de complementaridade e de parcialidade, para cuja aplicação demandam uma avaliação da correlação entre o estado de coisas a ser promovido e os efeitos decorrentes da conduta havida como necessária à sua promoção.

4.4 As regras podem ser dissociadas dos princípios quanto ao modo como prescrevem o comportamento. As regras são normas imediatamente descritivas, na medida em que estabelecem obrigações, permissões e proibições mediante a descrição da conduta a ser cumprida. Os princípios são normas imediatamente finalísticas, já que estabelecem um estado de coisas cuja promoção gradual depende dos efeitos decorrentes da adoção de comportamentos a ela necessários. Os princípios são normas cuja qualidade frontal é, justamente, a determinação da realização de um fim juridicamente relevante, ao passo que característica dianteira das regras é a previsão do comportamento.

4.5 As regras podem ser dissociadas dos princípios quanto à justificação que exigem. A interpretação e a aplicação das regras exigem uma avaliação da correspondência entre a construção conceitual dos fatos e a construção conceitual da norma e da finalidade que lhe dá suporte, ao passo que a interpretação e a aplicação dos princípios demandam uma avaliação da correlação entre o estado de coisas posto como fim e os efeitos decorrentes da conduta havida como necessária.

4.6 As regras podem ser dissociadas dos princípios quanto ao modo como contribuem para a decisão. Os princípios consistem em normas primariamente complementares e preliminarmente parciais, na medida em que, sobre abrangerem apenas parte dos aspectos relevantes para uma tomada de decisão, não têm a pretensão de gerar uma solução específica, mas de contribuir, ao lado de outras razões, para a tomada de decisão. Já as regras consistem em normas preliminarmente decisivas e abarcantes, na medida em que, a despeito da pretensão de abranger todos os aspectos relevantes para a tomada de decisão, têm a aspiração de gerar uma solução específica para o conflito entre razões.

4.7 Os postulados normativos são normas imediatamente metódicas, que estruturam a interpretação e aplicação de princípios e regras mediante a exigência, mais ou menos específica, de relações entre elementos com base em critérios.

4.8 Alguns postulados aplicam-se sem pressupor a existência de elementos e de critérios específicos: a ponderação de bens consiste num método destinado a atribuir pesos a elementos que se entrelaçam, sem referência a pontos de vista materiais que orientem esse sopesamento; a concordância prática exige a realização máxima de valores que se imbricam; a proibição de excesso proíbe que a aplicação de uma regra ou de um princípio restrinja de tal forma um direito fundamental que termine lhe retirando seu mínimo de eficácia.

4.9 A aplicabilidade de outros postulados depende de determinadas condições. O postulado da igualdade estrutura a aplicação do Direito quando há relação entre dois sujeitos em função de elementos (critério de diferenciação e finalidade da distinção) e da relação entre eles (congruência do critério em razão do fim).

4.10 O postulado da razoabilidade aplica-se, primeiro, como diretriz que exige a relação das normas gerais com as individualidades do caso concreto, quer mostrando sob qual perspectiva a norma deve ser aplicada, quer indicando em quais hipóteses o caso individual, em virtude de suas especificidades, deixa de se enquadrar na norma geral. Segundo, como diretriz que exige uma vinculação das normas jurídicas com o mundo ao qual elas fazem referência, seja reclamando a existência de um suporte empírico e adequado a qualquer ato jurídico, seja demandando uma relação congruente entre a medida adotada e o fim que ela pretende atingir. Terceiro, como diretriz que exige a relação de equivalência entre duas grandezas.

4.11 O postulado da proporcionalidade aplica-se nos casos em que exista uma relação de causalidade entre um meio e um fim concretamente perceptível. A exigência de realização de vários fins, todos constitucionalmente legitimados, implica a adoção de medidas adequadas, necessárias e proporcionais em sentido estrito.

4.12 Um meio é adequado quando promove minimamente o fim. Na hipótese de atos jurídicos gerais a adequação deve ser analisada do ponto de vista abstrato, geral e prévio. Na hipótese de atos jurídicos individuais a adequação deve ser analisada no plano concreto, individual e prévio. O controle da adequação deve limitar-se, em razão do princípio da separação dos Poderes, à anulação de meios manifestamente inadequados.

4.13 Um meio é necessário quando não houver meios alternativos que possam promover igualmente o fim sem restringir na mesma intensidade os direitos fundamentais afetados. O controle da necessidade deve limitar-se, em razão do princípio da separação dos Poderes, à anulação do meio escolhido quando há um meio alternativo que, em aspectos considerados fundamentais, promove igualmente o fim causando menores restrições.

4.14 Um meio é proporcional quando o valor da promoção do fim não for proporcional ao desvalor da restrição dos direitos fundamentais. Para analisá-lo é preciso comparar o grau de intensidade da promoção do fim com o grau de intensidade da restrição dos direitos fundamentais. O meio será desproporcional se a importância do fim não justificar a intensidade da restrição dos direitos fundamentais.

BIBLIOGRAFIA

AARNIO, Aulis. *Denkweisen der Rechtswissenschaft*. Wien, Springer, 1979.

__________. *Reason and Authority. A Treatise on the Dynamic Paradigm of Legal Dogmatics*. Aldershot, Ashgate, 1997.

ALEXY, Robert. "My philosophy of law: the institutionalisation of reason". In: WINTGENS, Luc J. (ed.). *The Law in Philosophical Perspectives*. Dordrecht, Kluwer, 1999.

__________. "On the structure of legal principles". *Ratio Juris* 13. Oxford, Blackwell, 2000.

__________. "Rechtsregeln und Rechtsprinzipien". *Archives Rechts und Sozialphilosophie*. Beiheft 25. Frankfurt am Main, 1985.

__________. "Rechtssystem und praktische Vernunft". *Recht, Vernunft, Diskurs*. Frankfurt am Main, Suhrkamp, 1995.

__________. *Theorie der Grundrechte*. 2ª ed. Frankfurt am Main, Suhrkamp, 1994.

__________. *Theorie der juristischen Argumentation*. 2ª ed. Frankfurt, Suhrkamp, 1991.

__________. "Zum Begriff des Rechtsprinzips". *Argumentation und Hermeneutik in der Jurisprudenz, Rechtstheorie*. Beiheft 1. Berlin, Dunckler und Humblot, 1979.

ARISTOTELE. *Etica Nicomachea*. Trad. de Marcello Zanata. Milano, Rizzoli, 1994.

ÁVILA, Humberto Bergmann. "A distinção entre princípios e regras e a redefinição do dever de proporcionalidade". *Revista de Direito Administrativo* (*RDA*) 215/151-179. Rio de Janeiro, Renovar, janeiro-março/1999.

__________. "Argumentação jurídica e a imunidade do livro eletrônico". *Revista de Direito Tributário* (*RDTributário*) 79/163-183. São Paulo, Malheiros Editores, 2001.

__________. "Benefícios fiscais inválidos e a legítima expectativa dos contribuintes". *Revista Tributária* 42/100-114. São Paulo, Ed. RT, 2002.

__________. "Estatuto do Contribuinte: conteúdo e alcance". *Revista da Associação Brasileira de Direito Tributário* 7/73-104. Belo Horizonte, Del Rey, setembro-dezembro/2000.

————. *Materiell verfassungsrechtliche Beschränkungen der Besteuerungsgewalt in der brasilianischen Verfassung und im deutschen Grundgesetz*. Nomos, Baden-Baden, 2002.

————. "Repensando o princípio da supremacia do interesse público sobre o particular". *Revista Trimestral de Direito Público* (*RTDP*) 24/159-180. São Paulo, Malheiros Editores, 1999.

BANDEIRA DE MELLO, Celso Antônio. *Curso de Direito Administrativo*. 14ª ed. São Paulo, Malheiros Editores, 2002 (17ª ed., 2004).

————. *O Conteúdo Jurídico do Princípio da Igualdade*. 3ª ed., 11ª tir. São Paulo, Malheiros Editores, 2003.

BARCELLOS, Ana Paula. "Alguns parâmetros normativos para a ponderação constitucional", in *A Nova Interpretação Constitucional*. BARROSO, Luis Roberto (Org.). Rio de Janeiro, Renovar, 2003.

BARROSO, Luís Roberto. *Interpretação e Aplicação da Constituição*. 4ª ed. Rio de Janeiro, Renovar, 2001.

BELTRÁN, Jordi Ferrer. *Las normas de competencia*. Madrid, Boletín Oficial del Estado, 2000.

BIRK, Dieter. *Steuerrecht I, Allgemeines Steuerrecht*. 2ª ed. München, Beck, 1994.

BOROWSKY, Martin. *Grundrechte als Prinzipien*. Baden-Baden, Nomos, 1998.

CANARIS, Claus-Wilhelm. *Die Feststellung von Lücken im Gesetz*. Berlin, Duncker und Humblot, 1982.

————. *Systemdenken und Systembegriff in der Jurisprudenz*. Berlin, Duncker und Humblot, 1983.

————. "Theorienrezeption und Theorienstruktur". In: LESER, Hans G. (org.). *Wege zum japanischen Recht. Festschrift für Zentaro Kitagawa*. Berlin, Duncker und Humblot, 1992.

CANOTILHO, J. J. Gomes. *Direito Constitucional e Teoria da Constituição*. 3ª ed. Coimbra, Livraria Almedina, 1999.

CARVALHO, Paulo de Barros. *Curso de Direito Tributário*. 14ª ed. São Paulo, Saraiva, 2002.

————. *Direito Tributário: Fundamentos Jurídicos da Incidência*. São Paulo, Saraiva, 1998.

CERRI, Augusto. *Corso de Giustizia Costituzionale*. 2ª ed. Milano, Giuffrè Editore, 1997.

CLÉRICO, Laura. *Die Struktur der Verhältnismässigkeit*. Baden-Baden, Nomos, 2001.

DERZI, Misabel de Abreu Machado. "Notas". In: BALEEIRO, Aliomar. *Limitações Constitucionais ao Poder de Tributar*. 7ª ed. Rio de Janeiro, Forense, 1997.

DÜRIG. In: MUNZ/DÜRIG/HERZOG/SCHOLZ. *Grundgesetz Kommentar*. Art. 3, Abs. I, Rdnr. 121 e 128. München, Beck, 1997.

DWORKIN, Ronald. "Is law a system of rules?". In: DWORKIN, R. M. (ed.). *The Philosophy of Law*. Oxford, Oxford University Press, 1977.

__________. "The model of rules". *University of Chicago Law Review* 35/14 e ss. 1967.

__________. *Taking Rights Seriously*. 6ª tir. London, Duckworth, 1991.

ECKHOFF, Torstein. "Legal principles". *Prescriptive Formality and Normative Rationality in Modern Legal Systems. Festschrift for Robert S. Summers*. Berlin, Duncker und Humblot.

ESSER, Josef. *Grundsatz und Norm in der richterlichen Fortbildung des Privatrechts*. 4ª tir. Tübingen, Mohr, Siebeck, 1990.

FERRAZ JÚNIOR, Tércio. *Função Social da Dogmática Jurídica*. São Paulo, Max Limonad, 1997.

__________. *Introdução ao Estudo do Direito*. 3ª ed., São Paulo, Atlas, 2001.

FIGUEROA, Alfonso García. *Principios y Positivismo Jurídico*. Madrid, Centro de Estudios Políticos y Constitucionales, 1998.

GRAU, Eros Roberto. *Ensaio e Discurso sobre a Interpretação/Aplicação do Direito*. São Paulo, Malheiros Editores, 2002 (2ª ed., 2003).

GRECO, Marco Aurélio. *Contribuições (Uma Figura "Sui Generis")*. São Paulo, Dialética, 2000.

GUASTINI, Riccardo. *Dalle Fonti alle Norme*. Torino, Giappichelli, 1992.

__________. *Distinguendo: Studi dei Teoria e Metateoria del Diritto*. Torino, Giappichelli, 1996.

__________. "Interprétation et description de normes". In: AMSELEK, Paul (org.). *Interprétation et Droit*. Bruxelles, Bruylant, 1995.

__________. *Teoria e Dogmatica delle Fonti*. Milano, Giuffrè Editore, 1998.

GUERRA FILHO, Willis S. *Teoria da Ciência Jurídica*. São Paulo, Saraiva, 2001.

GÜNTHER, Klaus. *Der Sinn für Angemessenheit. Anwendungsdiskurse in Moral und Recht*. Frankfurt am Main, Suhrkamp, 1988.

HABERMAS, Jürgen. *Faktizität und Geltung*. Frankfurt am Main, Suhrkamp, 1992.

__________. "Wahrheitstheorien", in *Vorstudien und Ergänzungen zur Theorie des kommunikativen Handels*. Frankfurt am Main, Suhrkamp, 1995.

HAGE, Jaap. C. *Reasoning with Rules. An Essay on Legal Reasoning and its Underlying Logic*. Dordrecht, Kluwer, 1997.

HERBERT, Manfred. *Rechtstheorie als Sprachkritik. Zum Einfluß Wittgensteins auf die Rechtstheorie*. Baden-Baden, Nomos, 1995.

HIRSCHBERG, Lothar. *Der Grundsatz der Verhältnismäßigkeit*. Göttingen, 1981.

HUSTER, Stefan. *Rechte und Ziele: Zur Dogmatik des allgemeinen Gleichheitssatzes*. Berlin, Duncker und Humblot, 1993.

IVAINER, Thédore. *L'Interprétation des faits en droit*. Paris, LGDJ, 1988.

JAKOBS, Michael Ch. *Der Grundsatz der Verhältnismäßigkeit*. Köln, Carl Heymanns, 1985.

JESTAEDT, Matthias. *Grundrechtsentfaltung im Gesetz*. Tübingen, Siebeck, 1999.

KAUFMANN, Arthur. "Die *ipsa res iusta*". *Beiträge zur Juristischen Hermeneutik*. 2ª ed. Köln, Carl Heymanns, 1993.

————. *Analogie und "Natur der Sache"*. 2ª ed. Heidelberg, Muller, 1982.

KIRCHHOF, Paul. *Die Verschiedenheit der Menschen und die Gleichheit vor dem Gesetz*. München, Siemens Stiftung, 1996.

LARENZ, Karl. *Methodenlehre der Rechtswissenschaft*. 6ª ed. München, Beck, 1991.

————. *Richtiges Recht*. München, Beck, 1979.

LESSA, Pedro. *Biblioteca Internacional de Obras Célebres*. v. XI.

MacCORMICK, Neil. "Argumentation and interpretation in law". *Ratio Juris* 6/17 e ss. N. 1. London: Blackwell, 1993.

MARX, Michael. *Zur Definition des Begriffs "Rechtsgut": Prolegomena einer materialen Verbrechenslehre*. Köln, Carl Heymanns, 1971.

MAURER, Hartmut. *Staatsrecht*. München, Beck, 1999.

MENDES, Gilmar Ferreira. "O princípio da proporcionalidade na jurisprudência do Supremo Tribunal Federal". *Direitos Fundamentais e Controle de Constitucionalidade*. São Paulo, Celso Bastos Editor, 1998.

MENDONÇA, Maria Luíza Vianna Pessoa de. *O Princípio Constitucional da Irretroatividade da Lei*. Belo Horizonte, Del Rey, 1996.

MICHAEL, Lothar. *Der allgemeine Gleichheitssatz als Methodennorm komparativer Systeme*. Berlin, Duncker und Humblot, 1997.

MODESTO, Paulo. "Controle jurídico do comportamento ético da Administração Pública no Brasil". *RDA* 209/77 e ss. Rio de Janeiro, Renovar, 1997.

MOREIRA NETO, Diogo de Figueiredo. "Moralidade administrativa: do conceito à efetivação". *RDA* 190/13 e ss. Rio de Janeiro, Renovar, 1992.

MÜLLER, Friedrich. "Warum Rechtslinguistik? Gemeinsame Probleme von Sprachwissenschaft und Rechtstheorie". In: ERBGUTH, Wilfried; MÜLLER, Friedrich, e NEUMANN, Volker (orgs.). *Rechtstheorie und Rechtsdogmatik im Austausch. Gedächtnisschrift für Bernd Jeand'Heur*. Berlin, Duncker und Humblot, 1999.

PECZENIK, Aleksander. *On Law and Reason*. Dordrecht, Kluwer, 1989.

————. "The passion for reason". In: WINTGENS, Luc J. (ed.). *The Law in Philosophical Perspectives*. Dordrecht, Kluwer, 1999, p. 183.

PENSKY, Ulrich. "Rechtsgrunsätze und Rechtsregeln". *Juristen Zeitung* 3. 1989.

PESTANA, Márcio. *O Princípio da Imunidade Tributária*. São Paulo, Ed. RT, 2001.

RAABE, Marius. "Grundrechtsschutz und gesetzgeberischer Einschätzungsspielraum – Eins Konstruktiosvorschlag", in *Allgemeinheit der Grundrechte und Vielfalt der Gesellschaft*. GRABENWARTER, Christoph (Org.), Stuttgart, Boorberg, 1994.

RAU, Christian. *Selbst entwickelte Grenzen in der Rechtsprechung des United States Supreme Court und des Bundesverfassungsgerichts*. Berlin, Duncker und Humblot, 1996.

REALE, Miguel. *Cinco Temas do Culturalismo*. São Paulo, Saraiva, 2000.

—————. *Lições Preliminares de Direito*. 23ª ed., São Paulo, Saraiva, 1996.

ROTHENBURG, Walter Claudius. *Princípios Constitucionais*. Porto Alegre, Sérgio Antônio Fabris Editor, 1999.

SANTIAGO, José M. Rodríguez de. *La Ponderación de Bienes e Intereses en el Derecho Administrativo*. Madrid, Marcial Pons, 2000.

SCACCIA, Gino. *Gli "Strumenti" della Ragionevolezza nel Giudizio Costituzionale*. Milano, Giuffrè Editore, 2000.

SCHAUER, Frederick. *Playing by the Rules. A Philosophical Examination of Rule-Based Decision-Making in Law and in Life*. Oxford, Clarendon, 1991.

SCHEPERS, H. "Heuristik". *Historisches Wörterbuch der Philosophie*. v. 3. Wissenschaftliche Buchgesellschaft, Darmstadt, 1974.

SIECKMANN, Jan-Reinard. *Regelmodelle und Prinzipien-modelle des Rechtssystems*. Baden-Baden, Nomos, 1990.

SILVA, Luís Virgílio Afonso da. "O Proporcional e o Razoável". *RT* 798/27, São Paulo, 2002.

SOBOTA, Katharina. *Das Prinzip Rechtsstaat*. Tübingen, Mohr Siebeck, 1997.

STEINMETZ, Wilson Antônio. *Colisão de Direitos Fundamentais e o Princípio da Proporcionalidade*. Porto Alegre, Livraria do Advogado, 2001.

STEIN, Ernildo. "Não podemos dizer a mesma coisa com outras palavras". In: ZILLES, Urbano (coord.). *Miguel Reale: Estudos em Homenagem a seus 90 Anos*. Porto Alegre, EDIPUC/RS, 2000.

STELZER, Manfred. *Das Wesensgehaltsargument und der Grundsatz der Verhältnismäßigkeit*. Wien, Springer, 1991.

SUMMERS, Robert. "Two types of substantive reasons: the core of a theory of common law justification". *The Jurisprudence of Law's Form and Substance (Collected Essays in Law)*. Alderhot, Ashgate, 2000 (pp. 155-236).

TIPKE, Klaus. *Die Steuerrechtsordnung*. B I. Köln, Otto Schmidt, 1993.

TORRES, Ricardo Lobo. "A legitimação dos direitos humanos e os princípios da ponderação e da razoabilidade". In: TORRES, Ricardo Lobo (org.). *Legitimação dos Direitos Humanos*. Rio de Janeiro, Renovar, 2002.

VARGA, Csaba. "The Non-cognitive Character of the Judicial Establishment of Facts", in *Praktische Vernunft und Rechtsanwendung. Archiv für Rechtund Sozialphilosophie*, v. 53.

VOGEL, Klaus, e WALDHOFF, Christian. *Bonner Kommentar zum Grundgesetz*. 81 Lfg. 1997.

—————. *Grundlagen des Finanzverfassungsrechts: Sonderausgabe des Bonner Kommentars zum Grundgesetz (Vorbemerkungen zu Art. 104a bis 115 GG)*. Heidelberg, Müller, 1999.

WEINBERGER, Ota. *Rechtslogik*. 2ª ed. Berlin, Duncker und Humblot, 1989.

WITTGENSTEIN, Ludwig. *Tratado Lógico-Filosófico – Investigações Filosóficas*. Trad. de M. S. Lourenço. Lisboa, Fundação Calouste Gulbenkian, 1981.

WRIGHT, Georg Henrik von. "Rationalität: Mittel und Zwecke". *Normen, Werte und Handlungen*. Frankfurt am Main, Suhrkamp, 1994.

————. "Sein und Sollen". *Normen, Werte und Handlungen*. Frankfurt am Main, Suhrkamp, 1994.

ZAGREBELSKY, Gustavo. "Su tre aspetti della ragionevolleza". *Il Principio di Ragionevolezza nella Giurisprudenza della Corte Costituzionale*. Milano, Giuffrè Editore, 1994.

ZANCANER, Weida. "Razoabilidade e moralidade: princípios concretizadores do perfil constitucional do Estado Social e Democrático de Direito". *Revista Diálogo Jurídico* 9/4 e ss. Ano I. Salvador, CAJ – Centro de Atualização Jurídica, dezembro/2001 (disponível em *http://www.direitopublico.com.br*).

ZARADER, Marlene. *Heidegger et les Paroles de l'Origine*. Paris, Librairie Philosophique J.

* * *

GRÁFICA PAYM
Tel. (011) 4392-3344
paym@terra.com.br